# 超えてみようよ！境界線

——アフリカ・アジア、そして車イスで考えた援助すること・されること

村山哲也 著

かもがわ出版

# 本を手にとってくれたあなたへ

はじめまして。この本を手にとってくれてどうもありがとう。

まずは自己紹介《じこしょうかい》から。ぼくは五〇代なかばの日本生まれ、男性。途上国《とじょうこく》と呼《よ》ばれるいくつかの国々で、四半世紀ほど教育の支援《しえん》をする仕事をしてきた。五〇歳《さい》のときに、仕事の最中に交通事故にあって下半身麻痺《まひ》となり、今は車イスを使って生活している。

この本のテーマは「越境《えっきょう》」、つまり境界を超《こ》えていくということ。

実は境界って、身近なところにいくらでも転がってがっている。

たとえば子どものころ、学校で自分のクラスと違《ちが》うクラスとの間には強いライバル意識があった。それも境界だったんじゃないだろうか。でも、その境界は、他の学校との競争でもあればあっという間に消え去った。そして今度は、自分の学校と他の学校との間に境界ができた。そんな心持ち、あなたにも思い当たることがあるんじゃないだろうか。

家族の中にだって親子で一枚岩《いちまいいわ》なんて嘘《うそ》っぽいし、贔屓《ひいき》のプロ野球やサッカーチームが同じだったり違ったりでできる境界だってある。

境界の中でも、国境はとても力強い。パスポートと出入国審査《しんさ》という特別な装置《そうち》による儀式《ぎしき》がドラマチックで、境界としての国境をより強く印象づける。国境を超えるためには海か空を渡《わた》るしかない島国では、出入国のものものしさがますます国境の強固さを醸《かも》し出す。海外に出たとたん、ふだんは意識しない「日本人」としての自分が立ち上がる。日本では町の自治会に関心を持たなかった人が、海外では日本人会の世話役になり積極的に活動したり、日々当然だったお風呂《ふろ》を懐《なつ》かしがったり、日本食レストランに通ってみたり。

実はぼく自身は、あぁ日本人だなぁって海外で思ったことはあまり思い出せない。自分が日本人であると確信できるのは、日本語を母語として育ち、日本政府が発行するパスポートを使っていることぐらいだ。以前は帰国して温泉《おんせん》に行って、「あぁ、やっぱり日本はいいなぁ」なんて思ったこともあった。今では熱いお湯に身体を浸《ひた》すのは好きではなく、むしろ疲《つか》れを感じてしまう。シャワーで十分だ。そうだ、豆腐《とうふ》はやっぱりおいしいねぇ。お刺身《さしみ》も、納豆《なっとう》も大好き。そんなおいしいものを食べるとき、自分は日本人って感じるかしら。でも日本人に限らなくても、刺身も好きなら、納豆も大好きって人はいくらでもいるしなぁ。どちらかといえば、日本人を意識するよりも、どこの人たちも同じ人間だなぁって思うことが多い。どんな場所でも、人々はうれしいときには笑い、悲しければ涙《なみだ》を流す。

そんなぼくも、二〇代中ごろに初めて外国に行ったとき、国境は不動の境界だった。そしてぼくは二〇代後半から五〇歳半ばを過ぎた今に至《いた》るまで、多くの時間を海外で過ごすことになった。関わった場所でさまざまな出来事に遭遇《そうぐう》し、いろんなモノを食べ、少しは友だちもできた。そうやって何度も国境を超える経験を積み重ねるうちに、国境という境界を面倒《めんどう》くさく思う気持ちがだんだん生まれてきた。あるいは、境界としての国境をだんだん意識しないようになってきたといったらいいだろうか。あったはずの境界が、どんどん薄《うす》まって消えていくような感覚。

性別や世代の違いはいつも必要以上に強固な境界になりがちだし、肌《はだ》の色、話す言葉、食べるもの、宗教《しゅうきょう》、文化、民族、祖先……、境界を作り出すものを挙げていけば、きりがない。そして、障害《しょうがい》だって、健常者からみれば境界の向こうの世界だ。

でも、どの境界もけして固定した存在《そんざい》ではない。そして、境界を超えていくという行為《こうい》は、あったと思っていた境界が消えるように思えること、境界を薄《うす》めていくことなんだと、今のぼくは考えている。

越境した先で、越境者は〝よそ者〟となる。自分だけが周りの人たちと違う存在になるのは、けっこう怖《こわ》い。でも、境界がそれぞれの都合で生ま

トラックの荷台に乗って地区の演劇大会に参加したクウィセロ中等学校の生徒たち

れたり消えたりするのであればどうだろう。境界があるのも、当たり前。その境界が薄まり消えることがあるのも当たり前。ぼくたちは、いつでも〝よそ者〟になったり、〝私《わたし》たち〟になったりする日常を過ごしている。そんなふうに思えれば、怖いのも当たり前だし、でも、それほど怖がらなくても大丈夫《だいじょうぶ》と思える。そんなふうに越境をとらえてみたらどうだろう。

日本でも貧困《ひんこん》問題はあるし、地震《じしん》や津波《つなみ》、台風、さらには原発事故のような災害で助けを必要とする人たちがいる。海外に行かなくても困《こま》っている人たちは日本国内にもたくさんいる。「それでも海外で活動するのはなぜなのか？」そんな問いをぼくも受けることがある。そんなときに口にできるのは「世界は開いているから仕方がない」ぐらいしか思いつかない。でもそれで十分なんじゃないかな。

そんなことをあなたに伝えてみたくて、この本を書いたんだ。

# もくじ

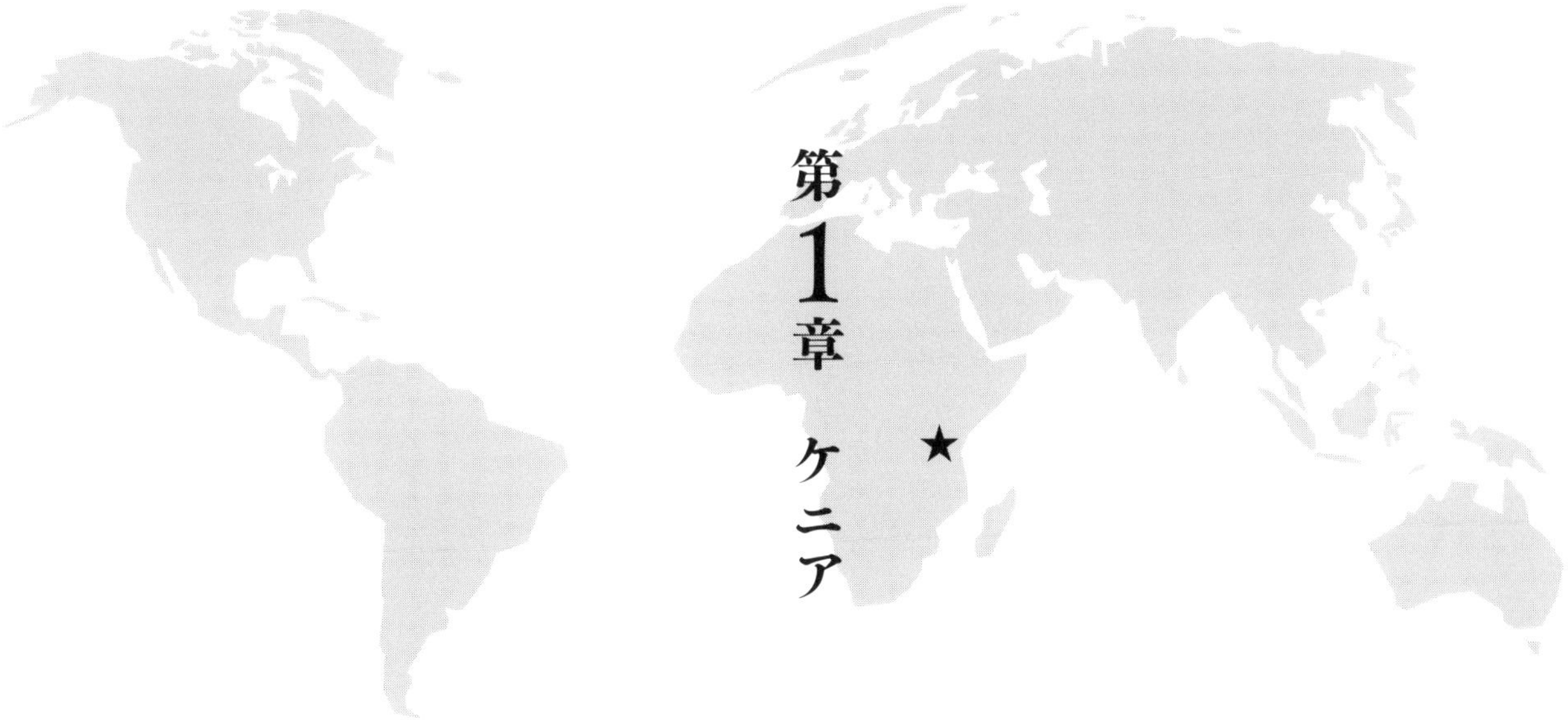

# 第1章 ケニア

## ケニア共和国

面積　58.3 万平方キロメートル（日本の約 1.5 倍）
人口　4,970 万人（2017 国連）
首都　ナイロビ
言語　スワヒリ語、英語、他
略史
1895 年　英国の東アフリカ領となり、植民地化が進む
1963 年　英国から独立
1991 年　複数政党制始まる

1 人あたり GDP　1857 米ドル（2018）
サブ・サハラアフリカにおいて日本による政府間援助の最大供与国。
在留日本人数　685 人（2018）

データは日本国外務省の HP より抜粋
1 人あたり GDP のみジェトロ HP より

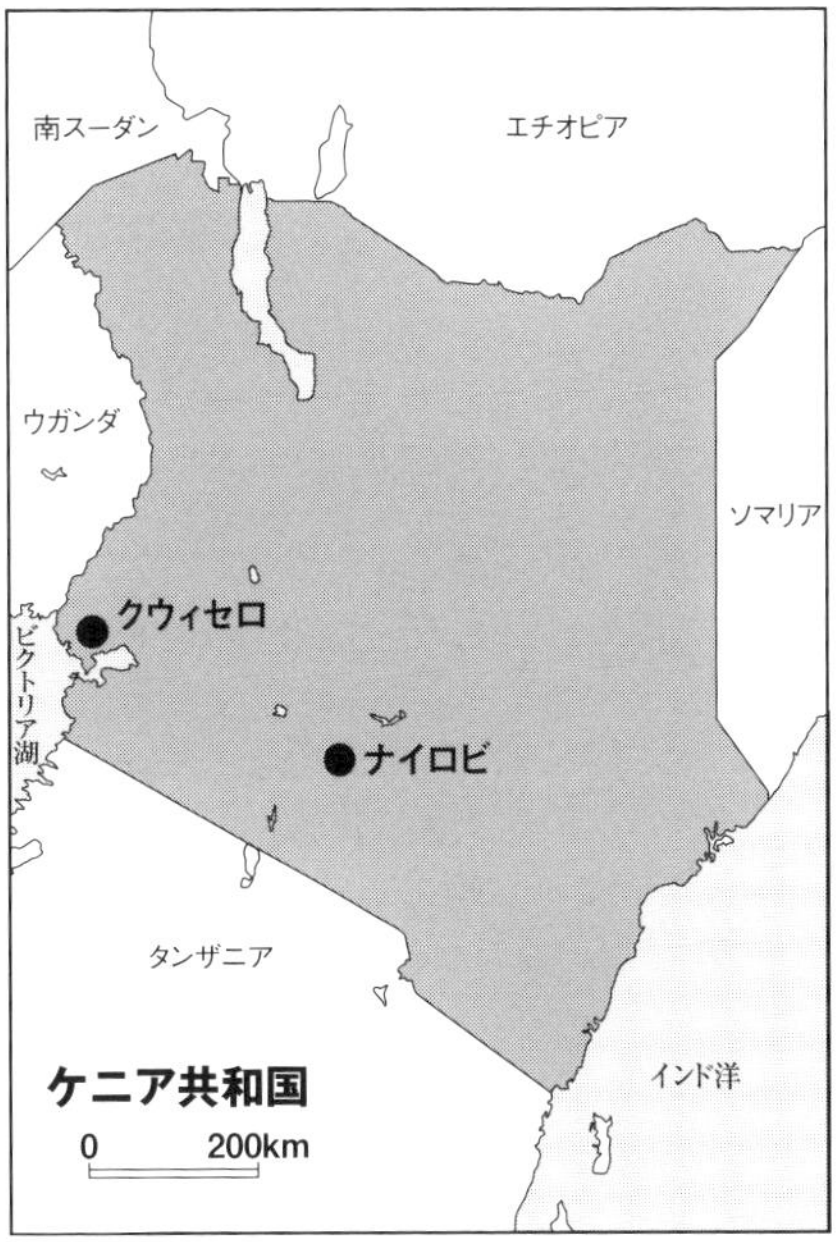

## アフリカに憧《あこが》れて

そもそも子どものころからアフリカに行きたかった。それも観光旅行などではなく。

『ドリトル先生アフリカゆき』を何度も読んだ。あるいは野口英世《のぐちひでよ》やシュバイツァーの伝記も愛読書だった。野口英世もシュバイツァーも一八七〇年中ごろ、日本でいえば明治八〜九年ごろに生まれた医学者で、アフリカで医療《いりょう》を実践し、そこで亡《な》くなった人だ。今読めば、『ドリトル先生』も、野口やシュバイツァーの価値観《かちかん》にも、アフリカを西洋よりも低く見る蔑視《べっし》が気になって、おすすめしづらいけれど。

あるいは旱魃《かんばつ》による飢餓《きが》で難民《なんみん》となったやせ細ったアフリカの母子の写真を新聞で見たことを覚えている。今調べると、一九七四〜七五年にエチオピアで食料不足が起こっている。ぼくが小学生高学年のころだ。

当時の日本では米の生産が過剰《かじょう》となり減反政策《げんたんせいさく》が取られ始め、ニュースでは稲作《いなさく》農家がせっかく育てた青田がコンバインで刈り取られる映像《えいぞう》が流れていた。米が余っているのならアフリカへ送ればいいのに、なぜそれができないのだろう。ぼくには不思議だった。とにかく食べ物がないのなら、それを作る技術を自分が学んで伝えに行けばいい。中学生のころにはそんなことを考えていて、高校で野球に熱中したあと、農業系《けい》の大学に進んだ。

でもアフリカで飢餓が生まれる背景《はいけい》は単純では

ケニアにて

ないことが、だんだんにわかってくる。農業技術の問題ではなく、経済《けいざい》や政治といった世の中の仕組みが大きく絡《から》んでいる。世界はなにやら混沌《こんとん》としていて、一筋縄《ひとすじなわ》ではいかないようだった。

　大学に進む前から、そのことには気がついていた。そもそもぼくは、東京の住宅地育ちだ。父は新潟《にいがた》の山なかの零細《れいさい》米農家の息子だけれど、東京に出てきて就職《しゅうしょく》した。継《つ》ぐべき農地があるわけではない都会育ちの自分が、果たして農業を職業にできるのだろうか。そう思いながら、大学の研究室で長粒米《ちょうりゅうまい》の苗《なえ》を水耕栽培《さいばい》し、試験管を並《なら》べて分析実験していた。身の回りには勉強以上に夢中になれることもあった。

　農業でアフリカに行くのは自分にはむずかしそうだという予感があって、大学では理科の教員免許《めんきょ》を取った。教師として海外ボランティアに参加する気持ちがじわじわと芽生えていた。

　大学卒業後、少し遠回りして二六歳でボランティア活動（青年海外協力隊）に応募《おうぼ》した。アフリカ以外の途上国《とじょうこく》でも参加するつもりだったけれど、合格通知の派遣国欄《はけんこくらん》に〝ケニア〟――東アフリカだ！――と書かれていたのを見たときは、とてもうれしかった。

　そんなふうにして、ぼくのアフリカでの生活が始まったんだ。

## 赤道直下、クウィセロ村での初めての授業

　地図を見れば、アフリカ大陸の真ん中の右あたり（東側）にビクトリア湖という大きな湖が見つかるだろう。その北東湖畔《こはん》にあるキスムという町から北西へバイクで一時間ちょっと走ったところにある、ケニア西部、カカメガ県クウィセロ村にあるクウィセロ中等学校が、ぼくの派遣先だった。北緯《ほくい》０・１６７、東経34・５９７、正真正銘《しょうしんしょうめい》の赤道直下だ。日中の日差しは厳《きび》しいとはいえ標高が一五〇〇メートル以上ある丘陵地《きゅうりょうち》で、夜は一年中毛布が欠かせないようなところだ。

　カカメガ県は、ケニア西部からケニアの西隣《にしどなり》のウガンダ東部にかけて広く暮《く》らす、ルヒア語を母語にする人たちが多いところだ。彼らの挨拶《あいさつ》は「ムレンベ（こんにちは）」で始まり「ムレンベ、ムノ」

と返す。「ムノ」というのは平和、平穏《へいおん》というような意味で、親しみを込めてムノを何回も繰り返す。「ムレンベ、ムノ」「ムレンベ、ムノムノムノ」「ムノムノムノ」という具合だ。

ぼくが暮らした家は、学校から歩いて一〇分もかからない村外れに立つ、レンガと土とコンクリートでできた小さな一軒家だった。村には電気も水道もガスもない。夜は灯油ランプかロウソクで過ごし、水は雨を溜《た》めるか数百メートル離《はな》れた井戸から運び、灯油コンロを使って料理した。手持ちの電気製品は単三電池で動く短波ラジオ、懐中電灯《かいちゅうでんとう》、電気髭剃《ひげそ》り、小型テープレコーダーの四つだけ。

クウィセロ中等学校は日本の中学三年から高校三年にあたる四年制で、一学年二クラスで一〇〇人前後――つまり一クラスに生徒五〇人――、四学年全部で生徒数四〇〇人ほどの男女共学だった。ぼくは教員が不足していた数学と物理の担当《たんとう》となり、週に二十数コマを受け持った。

校舎は、ぼくが暮らした家と同じくレンガと土とコンクリートでできていた。教室に入ると天井《てんじょう》はなくトタン屋根がむき出しで、雨が降《ふ》るとぼくが精一杯叫《さけ》んでも生徒に声が届かないほどやかましい音をたてた。教室の壁《かべ》には小さな木製扉《とびら》つきの窓がはめこまれているけれど、全開しても部屋の中は薄暗《うすぐら》い。床はなく生徒の座《すわ》る木製の机《つくえ》や椅子《いす》は地面の上に直接置かれ、廊下はなくて各教室のドアをあければすぐに校庭。コンクリート壁を黒く塗りつぶしたところが黒板で、硬いから気をつけないとチョークがすぐに折れた。

校庭の片隅《かたすみ》の木に車のタイヤの錆《さ》びたフレームがぶら下げられていて、時間がくると腕《うで》時計を持っている四年生の担当生徒がそのフレームをカンカンと叩《たた》いて金属音を響《ひび》かせ、それがチャイムの代わりだ。授業中に野良犬やニワトリやスズメや蜂《はち》が教室に入ってくることもあるけれど、生徒はまったく気にする様子もなく授業は続いた。

初めての授業をよく覚えている。異邦人《いほうじん》のぼく――〝黄色〟の肌《はだ》で、髪が縮れていない――を物珍《ものめずら》しそうに見つめる薄暗い教室の一〇〇以上の眼、眼、眼……。褐色《かっしょく》の顔に、浮《う》き上がるように見える結膜《けつまく》がみな鮮《あざ》やかに白い。男女で髪型に違《ちが》いはないし、名簿を見ても性別は書かれていない。

数学の練習問題に取り組む女子生徒

だから最初、ぼくは生徒の性別も区別できなかった。制服のスカートとズボンの違いで、ようやく女の子か男の子かが判断できた。

## お米を炊《た》く前にしなければいけないこと

家での食事では、鍋《なべ》で米を炊いた。インディカと呼ばれる長粒米が村でも手にはいった。日本米と比べるとボソボソした食感だったけれど、それでも炊きたてはおいしい。

ぼくは学生時代から料理は好きだった。でもあくまで「趣味」の領域で、クウィセロでの生活のための欠かせない営みである調理はそれとはまったく違った。日本では、買った米はそのまま研いで、炊飯器《すいはんき》に入れて炊いていた。電気のないクウィセロでは、灯油コンロを使って鍋で米を炊いた。何度か米を黒く焦がしてしまったけれど、やがて火加減のコツをつかんで失敗はなくなった。

米を炊く前にまずやらなければいけないのが、石取りだ。購入《こうにゅう》した米には、収穫時《しゅうかくじ》や脱穀《だっこく》の際に入りこんだ小石が混じっている。米の中には、かなりの割合《わりあい》で砕《くだ》けた米も含《ふく》まれていて、その砕米《さいまい》と小石の見極めがなかなかむずかしい。小石を取り切れないまま炊いたご飯を食べると、奥歯がガリッと小石をかんでしまい、その顎《あご》にまで響く痛《いた》さと惨《みじ》めさといったらなかった。そうならないように米を一粒一粒人差し指で弾きながら、小石を選り分けていく。夕方職場から自宅に戻《もど》ると、沈《しず》む夕日を眺《なが》めながら玄関先でその日炊く分の米の石取りをするのが日課となった。

そうやって石取りをしていると、庭先を生徒が通る。彼らは「マリム！」「ティーチャー！」と声をかけ手を振っていく。マリムはスワヒリ語で先生、ティーチャーは英語。複数の言語が混在するケニアでは、国語としてスワヒリ語、共通語として英語があり、学校ではその二つの言葉だけが使われていた。多くの生徒たちの母語であるルヒア語は小学校低学年で多少使われていたけれど、教育言語としての価値は低い。ぼくが教えていた数学と物理、さらに化学や生物といった理系科目は教科書も英語で書かれていた。一九六三年に英国の植民地支配から独立したケニアでは、生徒の親の世代には読み書きができない人たちもまだ少なくなかった。祖父母の世代になれば、ルヒア語しか解さない人が大多数だ。一方、生徒たちはスワヒリ語、そして英語ができなければ進学することもできない。学校でスワヒリ語と英語を使う生徒たちの中には、祖父母の話すルヒア語がよくわからないという子も少なくなかった。

実はぼくは中学生のころから英語が苦手科目だった。それでも数学や理科は得意だった。でも、そんなことはケニアではありえない。英語が駄目《だめ》なら、数学も理科も全滅《ぜんめつ》だ。

石取りを終えた米は、さっと研いで日本と同じような水加減で炊く。炊いたお米を、ランプの灯《ひ》の下で食べた。雑音混じりで届く短波の日本語放送のニュースもよく聞いた。食後には翌日《よくじつ》の授業の板書のために英単語を確認《かくにん》した。日本の家族や友人へのハガキもよく書いた。パソコンやスマートフォンはまだなかった。村から日本に国際電話をかけることも無理だった。書いたハガキは、学校に行く前に、村にひとつだけある小さな郵便局《ゆうびんきょく》で投函《とうかん》した。返事が来るのに二か月かかった。日本はとてつもなく遠かった。

ずいぶんとホームシックにもかかった。同僚《どうりょう》たちはふだんはルヒア語かスワヒリ語を使っておしゃべりしている。職員室での休憩《きゅうけい》時間のおしゃべりも自分はわからないし、入っていけない。自分だけがひとり〝よそ者〟だった。日本語を使わないで何日も過ごしていると、ときどき無性にさびしくなった。仕事の合間に校庭に出て、同僚たちには聞こえないようにして、日本語の歌を口ずさんだこともある。週末になると、五〇キロ離れたキスムの町にいる協力隊仲間を訪《たず》ねることも多かった。そこで、蛇口《じゃぐち》をひねれば出てくるシャワーを浴びながら、なぜか涙《なみだ》が出てきたこともある。

## 試される「現地の食」

クウィセロ中等学校で働き出してしばらくたったある日、同僚のマオア先生がB5サイズほどの紙袋をくれた。マオアは職場でいつも話し相手になってくれる陽気な若《わか》い女性教師だ。少しドキドキしながらなかをのぞくと、大型のアリ――生きてはいない――が、たくさん入っている。おいしいから食べろという。おそるおそる指でつまんで口に入れてみる。すこし酸味があるけれど、とくに嫌《いや》な味がするわけでもない。アリをつまんで口に入れているぼくを見て、マオアは満足そうに眼を細めてうなずいてくれた。

ある季節になると、雨の後たくさんの羽アリが空を舞うときがある。クウィセロ村の人たちは羽アリが飛び交う季節がわかっていて、その時がくるとアリの巣の入り口にそこらの木から葉のついた枝を刈ってきたものを山積みにし、上からビニールシートを被せる。巣から飛び出してくる羽アリはその木の枝にびっしりと取り付き、でもビニールシートがあるので飛び立てない。羽アリの羽はやがて自然に身体から落ちてしまう。そこを枝ごとごっそり回収して、バサバサと枝を振ればアリだけが落ちてくる。あとはそれをフライパンで煎《い》りつければちょっとしたおやつとなる。マオアがぼくにくれたのもそれだ。大量に捕獲《ほかく》すれば、

お昼休みの記念撮影。給食を作る鍋をかかげておどけているのがジュディス。学校で食事作りやそうじなどをしてくれる

売って小遣《こづか》い稼《かせ》ぎにもなるらしかった。

学校で炊事《すいじ》や掃除《そうじ》などの雑用をしてくれるジュディスおばさんの家を訪ねたときのこと。夕刻になると、たくさんの羽アリが低い空を舞い始めた。ジュディスの家の短い青草の生える庭にも羽を落とした羽アリが何十とうろうろしている。飼っているニワトリが、そのアリを次々とついばんでいく。さらに、家に住み着いている猫《ねこ》も庭に出てきてアリを食べ始めた。その隣では、ジュディスのまだ一歳ぐらいの姪《めい》っ子が青草の上にどっしりと座りこむと、アリを指でつまんではそのまま口に放りこんでいる。子どもがニワトリや猫と一緒《いっしょ》になってアリをつまんでいても、大人たちはそれを止めようとはしない。

地面に落ちた羽アリを並んで食しているニワトリと猫と幼子のまわりを、夕日を浴びて羽アリがキラキラと飛び回る。明るい夕方の庭先での食物連鎖《れんさ》の光景は、とても穏《おだ》やかで美しい。ためしにぼくも生のアリをつまんで口に入れてみた。煎ったものよりもクリーミーで、プチプチした食感が心地よかった。

食べ物の話をもう少し続けよう。ルヒアの人たちの主食は、トウモロコシ粉を熱湯とまぜて練って作るウガリという食べ物だ。学校が準備してくれる昼食では毎度このウガリを食べた。

昼時になると、ジュディスはまず大鍋半分ほどのお湯をわかす。燃料は薪《まき》だ。お湯がわくと、トウモロコシ粉をそのお湯にどばどばと放りこみ、すかさず大きな木のへらでそれをこねていく。お湯を吸って粘《ねば》り気を持ったトウモロコシ粉を練るのはとても力のいる作業だ。ジュディスは額に玉のような汗《あせ》を浮かべ、へらを器用に動かしていた。できあがったウガリは丸く形を整えて、大皿に盛《も》られる。そこから右手でひとつまみちぎり取って、そのまま手のひらで軽く握って口に運ぶ。熱いウガリを「あちちちッ」なんていいながらみんなでつまむのが楽しい。

ウガリと一緒に必ず出てきたのがスクマという野菜の煮炒《にいた》めだ。スクマは、アブラナ科ケールの仲間、無結球《むけっきゅう》のキャベツの類で、いかにも栄養満点という濃《こ》い緑色をした葉菜を食べる。

このスクマの葉を細かく切る。鍋に油とトマトと小ネギをざく切りしたものを入れて炒め、小ネギが茶色になったらスクマをどさっと入れる。そこにスープの素を水と一緒に加えて、スクマが柔《やわ》らかくなったら出来上がりだ。

　スクマは栄養価が高く、また栽培が容易でどんどん育つ。各家の庭には必ずといっていいほどスクマが植えられていて、葉を採ったそばから次の葉がどんどん出てくる便利な野菜だった。葉はけしてキャベツや白菜ほどは柔らかくなくて、煮込んでもしっかりした歯ごたえがあった。少し苦味のある濃い緑の味といったらいいか。食べ慣れるとその苦味が親しく感じられた。

　とにかく、学校では毎昼毎昼、ウガリとスクマ炒めという食事が一年中続く。料理法、味つけも毎日同じ。さすがに飽《あ》きる。ごくたまに牛肉を煮込んだ料理が供されると、それがどれだけ硬い肉でもとてもおいしく感じられたのは、この連日続く単調な食生活のせいだったろう。

　単調な食事は教員だけではない。クウィセロ中等学校では生徒にも昼食が支給されていたけれど、彼らの食事は毎日、ゲゼリという豆とトウモロコシの実の煮込みだった。大量に作るには、炒めるよりも煮てしまうのが楽なのだろう。一年中、毎日ゲゼリ、ゲゼリ、ゲゼリ……。

　日本では毎食白米を食べるとしても、おかずは変化するだろう。その後、東南アジア各地で仕事をする機会があったけれど、どんな田舎にいっても、おかずは多少の変化はあったように思う。クウィセロの生徒たちが、日本の小中学校の給食で毎日メニューが変わると知ったら、さぞ驚いただろう。

　首都ナイロビには日本食レストランが数軒あって、日本人には人気だった。もちろんぼくも、会議や休暇《きゅうか》でナイロビにいけば、そこでラーメンや豚《とん》カツの味を楽しんだ。でも、そんなレストランはやはり高価で、ナイロビで暮らす協力隊仲間は食費でお金がすぐになくなってしまうと嘆《なげ》いていた。

## マンデラの写真

　田舎暮らしでケニアの人たちと同じものを食べる日々が続いていくと、やがて境界は後退していき、ときには消え去ったようにさえ思えるようになる。最初は制服の違いでしかわからなかった生徒の性別も、数か月もすればすぐにわかるようになった。

村の飲み屋のランプの下でぼくが同僚たちと生ぬるいビール（電気がなくて冷蔵庫《れいぞうこ》もないからビールは冷えていないんだ）を飲んでいるとき、「ムズング！」という単語でぼくを呼ぶ見知らぬ客に対して、同僚たちは「こいつは〝ムズング〟じゃないんだ」と力説してくれるようになる。ムズングというのは〝白い人〟という意味のスワヒリ語で、〝白人〟に対するアフリカ側からの逆蔑視《ぎゃくべっし》の言葉なんだ。ケニアは白い人たちの国、英国の植民地だった。「〝ムズング〟じゃない」というのは、「こいつは植民地時代に俺たちをいじめた英国人とは違うんだ」ということで、ぼくにはうれしい褒《ほ》め言葉だった。

同僚たちだけではない。暮らし始めたときには遠くからでも立ち止まって物珍しそうにぼくを眺めていた村人たちも、しばらくたてばもう誰《だれ》も立ち止まって眺めたりはしなくなるし、むしろ大きな声で「ムレンベ！」と挨拶してくれるようになった。週末に町の協力隊仲間を訪ねる回数も、やがて減っていった。

それでも、たとえばある夕方に現れた虹《にじ》を指差してぼくが喜んで眺めていると、虹は死者が天に登っていくためのものであり、彼らにとっては喜んで眺める対象ではないことを生徒たちから知らされたときや、村で捕《つか》まった盗人《とうにん》が多くの村人の前で警察官から手打たれ蹴られ、またそれを村人がけしかけるのを見たときに、ぼくは自分が異邦人であることを思い出した。

生徒を家庭訪問《ほうもん》したときにのぞかせてもらった彼の部屋の土壁《つちかべ》に、ネルソンマンデラの新聞の切り抜き写真が貼ってあったのも印象深い。マンデラはヨーロッパからの白人移民者が建国した南アフリカ共和国のアフリカ系住民で、後に白人以外で初めて南アフリカ共和国の大統領になった人だ。

南アフリカ共和国ではアパルトヘイトという、白人による〝アフリカ人〟蔑視の人種隔離政策《かくりせいさく》が取られていた。人種差別に反対する多くの国々は南アフリカ共和国に対する貿易を制限していたけれど、日本政府は経済的《けいざいてき》な利益を優先して南アフリカ共和国への支援《しえん》と貿易を継続《けいぞく》していた。それに対して南アフリカ共和国政府は日本人に〝名誉《めいよ》白人〟の称号《しょうごう》を与《あた》え、アフリカ系やアジア系の人たち（つまり黒や黄の有色人）が入れない白人専用《せんよう》のレストランやトイレを使うことを許可していたんだ。そして、政府の人種差別に反対し逮捕《たいほ》されたマンデラは二七年間投獄《とうごく》された後、当時ようやく刑務所《けいむしょ》から解放されたところだった。アフリカ系のマンデラは、ケニアでも英雄《えいゆう》だった。粗末な部屋の片隅に貼られた彼の白黒写真を前にして、日本からきたぼくは、自分がけっして〝アフリカ人〟ではないことを思い出した。
境界は、そうやって消えたり現れたりしたんだ。

村はずれの小さな家での、異邦人としての暮らしをなぐさめてくれたザネリ

## 猫《ねこ》のザネリ

キスムの町に住む協力隊仲間が飼っている猫が子猫を産んだ。その一匹をもらいクウィセロに連れてきた。メス猫だったけれど、〝ザネリ〟と名付けた。宮沢賢治『銀河鉄道の夜』で主人公ジョバンニに意地悪をいう男の子の名前だ。ジョバンニやその友人カンパネルラでは、気取りすぎかなと思ったんだ

前にも書いたように、携帯《けいたい》電話はまだなかった。パソコンやインターネットももちろんない。キスムまで行けば日本に電話はかけられたけれど、国際電話は高額で、一〇分も話せば、支給されていた生活費の半分が消えた。当時のクウィセロ村は、日本からものすごく遠い場所だったんだ。

クウィセロで生活を始めたころは、ひとりの生活はやっぱりさびしかった。仕事を終えて村外れの小さな一軒家に戻ってきて戸を開けると、待ちかねていたかのようにザネリが足元にまとわりつ

く。異邦人として暮らすさびしさをずいぶんと慰《なぐさ》めてくれるザネリは、クウィセロでの暮らしの中で大事な存在《そんざい》となった。

　ザネリがまだ子猫のとき、庭で猛禽《もうきん》に襲《おそ》われたことがあった。あっという間のできごとで、大きな鳥が舞《ま》い降《お》りてきたとき、ぼくにはなすすべもなかった。たまたま目測を誤《あやま》ったのか、それとも狩りの未熟《みじゅく》な若鳥だったのか、猛禽の鋭《するど》い足爪《あしづめ》はザネリの背中をかすめていき彼女は運良く助かった。

　東京の住宅地育ちのぼくにとって、猛禽が猫を襲うクウィセロの生活には野生の香りがあった。家の前の草地にカンムリヅルの番《つがい》が舞い降りて、餌《えさ》をさがすこともあった。でもそんなクウィセロ周辺も人口が増えることで、短い時間で大きな環境《かんきょう》の変化が起こっているらしかった。村の古老《ころう》に聞くと、数十年前には森が広がり、鹿《しか》やバッファローなどの野生動物がたくさんいたそうだ。象を見かけることもあったという。ぼくが知るクウィセロ周辺に森はなく、広がる丘陵地の多くが畑だった。大型の野生動物は、村を流れるヤラ川に住むカバの話を聞くだけだった。

　それでもクウィセロの生活は自然と結びついていた。ぼくの家は西側が開けた場所に建っていて、地平線に沈む夕日がよく見えた。毎日それを眺めていると、夕日の沈む場所が季節によって刻々と変わっていくのがよくわかった。夏至《げし》や冬至《とうじ》を過ぎると、その場所はまた逆向きに戻りはじめる。太陽の周りをめぐる地球の公転が実感できた。

　夕日につきそうように細い月が西の低い空に浮かぶと、その日から日を追うごとに月明かりで夜がだんだん明るくなっていく。満月になれば、外で本が読めるほど明るかった。満月を過ぎれば、今度は日を追うごとに日没後の暗い夜がだんだん長くなっていく。そんな夜には庭に寝っ転がって満天の星空を眺めた。庭には火炎樹《かえんじゅ》の大きな木があって、その枝葉越しに星を見ていると、天空全体がゆっくりと東から西へたしかに動いているのがわかった。地球の自転を実感できた。

　あるいは、日中、遠くの雲の下に帯状になって降る雨がわかったし、ジグザクと走る雷《かみなり》もよく見た。それがだんだん近づいてきて、やがて雨粒《あまつぶ》がトタン屋根を叩き始める。夜、ロウソクの灯りを吹き消して眼をつぶると、風が火炎樹の枝を鳴らす音がよく聞こえた。

　地球、太陽、月、星、宇宙《うちゅう》、さらに雨、雷、風、雲……、クウィセロではそれらがみんな身近だった。

　もらってきたときは手のひらに乗るようだったザネリは、あっという間に大きくなった。ザネリが自由に出入りできるように、寝室《しんしつ》の窓ガラスの隅《すみ》を割《わ》って通り道をつくった。明るい夜も暗い夜も、ザネリは自由に遊びにでかけた。朝起きると、ときどき頭をかみつぶされた大きなトカゲが部屋に転がっていた。ザネリが持ってくるんだ。きっと自慢《じまん》したかったのだろうと思う。

　ある日、帰宅するとベッドの上でザネリが出産していた。破水でうす赤く汚《よご》れたシーツの上に五匹の赤ん坊《ぼう》がまだ目も開かずにうごめいていた。子猫たちは少し大きくなると、生徒たちが喜んでもらってくれた。ネズミを取るので猫は人気があった。

　クウィセロでの二年間が過ぎ、そこを去る日が近づいてきて、仕方なくザネリを親しい生徒に譲《ゆず》った。窓ガラスに開けた通り道もテープで厳重《げんじゅう》に塞《ふさ》いだ。クウィセロの最後の数週間、またひとり暮らしになったけれど、前ほどのさびしさはなかった。クウィセロは、ぼくにとってもう異郷ではなくなっていた。

## 「本当の理科の面白さ」を伝えたい

　日本で理科を学び、理科が得意だったり好きだったり、そんな日本人が途上国の学校で行われている理科教育を目《ま》の当たりにすると、必ずといっていいほど起こる心の中の化学反応は、「生徒たちに本当の理科の面白さを伝えたい」という抑《おさ》えがたい熱意だ。

　アンモニアの製造方法の化学式は覚えても、一度嗅《か》いだら忘《わす》れられないアンモニアの刺激臭《しげきしゅう》は知らない。ナトリウムやカリウムが火を吹き出して水と反応する驚きを体験することもない。特別な薬品が必要になる化学実験はむずかしいとしても、ふたつの電球を電池に〝並列《へいれつ》つなぎ〟したときと〝直列つなぎ〟にしたときの明るさの違いや、電圧・電流・抵抗《ていこう》の関係式（オームの法則）を実際にやってみることなしに覚えるだけなんて、味気なさすぎて悲しい。せめて顕微鏡《けんびきょう》があれば、植物の細胞壁《さいぼうへき》や核や葉緑体を見て確かめられるし、さらには染色体《せんしょくたい》を染《そ》められれば体細胞分裂《ぶんれつ》の神秘《しんぴ》を観察できる。天体望遠鏡で土星の輪を生徒たちに見せることができたら、どんなにすてきだろう。しかしながら、現在でも途上国の多くの教室では、理科はたんに教科書の内容を覚える暗記科目にとどまり続けている。

　そんな状況《じょうきょう》を変えたくても、学校には実験観察のための教材器具はないし、それを買う予算もない。そこでせめてできる範囲《はんい》でと思いつくのが、手近なモノを工夫して実験に必要な資機材を作り出してしまうことだ。ビーカーなどはペットボトルで簡単《かんたん》に代用できる。酸やアルカリ溶液は、洗剤やバイクのバッテリー液が使える。電池や銅線ぐらいは村の雑貨屋でも手に入るし、豆電球は町でなら売っている懐中電灯の豆球が使える。

　ぼくも理科実験を生徒にやらせる熱意にとらわれたひとりだった。幸いクウィセロ中等学校には、少しだけだったけれど、校長がどこかの援助団体からもらってきた電圧計や電流計などの実験器具があった。しかも画期的なことに、ぼくがケニアにいるときに、ケニア教育省は中等学校卒業資格を認定《にんてい》するための国家試験の中に理科実験を導入したんだ。最初の試験で実施《じっし》されたのは、透《とう》明《めい》な水溶液《すいようえき》に溶《と》けている物質がなにかを調べ出すという、なかなか本格的な化学実験だった。国家試験の各校の試験結果は全国の新聞に掲載《けいさい》され、学校の順位は翌年の新入生数に直結したから、ケニア中の中等学校が実験室を整備しようと画策した。おかげでクウィセロ中等学校の理科室も徐々に充実《じゅうじつ》し、しかも実験助手までが新たに採用された。そんな後押しもあって、ぼくも自分が担当する物理の授業のなかで、できるだけ実験学習を取り入れるようにしたんだ。

　しかし、やってみると予想もしなかった問題がたくさん出てきた。たとえば学校が購入した棒《ぼう》磁石は細い釘《くぎ》一本を引きつけるのがせいぜいで、磁石にくっついて磁化《じか》されたはずの釘が他の釘を引きつけることはなかった。いくつかあった電圧計を同じ回路につないでみると、同じ値《あたい》を示すはずがどれもが違う値を指す。それでも授業前に予備実験をするのはぼくだけで、他の理科教師はそんな怪《あや》しい実験器具をそのまま教室に持ちこむ。だから、授業は予定通りに進まず、実験の導入が生徒たちを余計に混乱させることがしばしばだった。

　さらに理科室を管理する助手が、実験器具の貸し出しを拒《こば》むことがあった。彼の理屈では、実験器具を生徒にいじらせる必要はなく。多くの実験は教師による演示実験をすれば十分だという。そんな彼をなんとか説得して、あるだけ全部の温度計を使って〝物質の三態（個体・液体・気体）〟の学習で水の融点《ゆうてん》や沸点《ふってん》を生徒に測ってもらった。配られた温度計を使って生徒たちは大喜びで氷水や沸騰《ふっとう》する水の温度を測った。そんな生徒たちの楽しそうな様子を見て、ぼくはちょっといい気持ちだった。

温度計を使って水の沸点を測る生徒たち

　ところが授業が終わってみると、何本もの温度計が割れていた。それらは日本でよく見る赤い液体が入ったものではなく、水銀を使ったものだった。馴《な》れないと水銀柱の先端《せんたん》が何度を指しているかの読み取りがむずかしく、何人かの生徒が読み取れないままそれをアルコールランプの炎《ほのお》にかざしたんだ。そんなことをすれば、温度計はあっという間に破裂《はれつ》してしまう。しかも、生徒たちは壊《こわ》れた温度計をそのまま教壇《きょうだん》に返す。「先生、壊してしまった」の一言もない。壊れた温度計を前に助手は恨《うら》めしそうな眼でぼくを睨《にら》みながら「校長に怒《おこ》られる」と頭を抱《かか》えてしまった。

　備品を壊した場合、生徒が弁償《べんしょう》を求められるということを後で知った。だから生徒たちは「壊した」とは申し出なかったんだ。それを知っていた助手は演示実験をぼくに勧《すす》めた。それを理解しないまま、しかも水銀柱の読み方の練習も生徒にさせないまま、水の沸点を測らせたぼくの失敗だった。

　驚きは他にもあった。たとえば片付けを生徒たちにさせることも助手は嫌がった。器具を洗《あら》ったりすればそこで壊される可能性はあるし、そうでなくとも「自分の仕事がなくなる」というんだ。実験の片付けを生徒自身がするのは当たり前と思っていたぼくは、彼の苦情にびっくりするばかりだった。同じ言い分は、掃除の際にも聞くことになる。授業後にぼくが教室を掃除をすると、ふだん掃除をするジュディスが「私《わたし》の仕事のじゃまをするな」という。同僚たちは「先生たるもの、掃除するのはみっともない」という態度だ。

　今であれば、助手やジュディスたちの価値観が世界ではそれほど珍しくないことは知っているし、理科実験を途上国の学校に導入するむずかしさや、その際に注意するべきことも多く学んできた。けれど、あのときはどうすればいいのか本当に混乱した。結局、あるときは郷《ごう》にしたがい、あるときはこちらのやり方を通した。あの混乱は、その後に続く途上国の応援《おうえん》のための第一歩で、ぼくにとってどれほど貴重《きちょう》な体験——まさにぼくの財産になった——だったのかが、今になるとよくわかる。

## 子どもたちの将来《しょうらい》の夢

　クウィセロ中等学校では1年生から4年生までが学ぶ。中等学校の前には8年制の小学校があり、すべての子どもが通うことがケニア政府の方針《ほうしん》として目指されていた。そのため小学校の授業料は無料だった（とはいえ、制服代や文房具《ぶんぼうぐ》代などのお金は必要で、それが払《はら》えずに学校に行けなくなってしまう子どもも少なからずいたようだ）。一方で中等学校には授業料があった。クウィセロ村あたりでは小学校を無事卒業して、さらに中等学校に進む子どもは三割もいなかった。

　毎月の初めに、副校長が「授業中にちょっとすいませんね」という様子で教室に入ってくる。仕方なく授業を中断すると、副校長はおもむろに生徒の名前を呼び始める。名前を呼ばれた生徒は、その場で自分の持ち物を持って教室から出ていく。彼らは授業料を滞納《たいのう》していて、不足分を持ってくるまでは授業に出席できない。副校長が名前を呼び終わると、ひどいときにはクラスの半分以上の生徒が退出していくようなときもあって、なんとも切ない儀式だった。

教える側からすれば、授業に出席できない生徒がいるのはとても残念だ。欠席が長くなれば、勉強についていくのも大変になる。実際、休みがちな生徒は進級試験の成績が悪く落第してしまうことも多かった。どうせ払わなければいけない授業料であれば、滞納なしで払うようにと学校は保護者に強く伝えるのだけれど、現金があまりない農家出身の子や、都会で働く親からの仕送り頼みの子が多いクウィセロ中等学校では、月替りになると名前を呼ばれる生徒がいつもいるのだった。

多くの生徒は数日中にはなんとかお金の工面をして戻ってくるのだけれど、中にはそれっきり姿《すがた》を見せない生徒もいた。そんな子はふだんの成績もよくないことが多く、おそらく「これ以上勉強しても、進学の望みはない」と中退してしまうのだろう。

成績優秀《ゆうしゅう》で、しかし経済的に苦しい家庭の生徒には、日本を含めた海外支援機関からの奨学金《しょうがくきん》が支給される例もあったし、協力隊仲間でもお金を出し合って貧しくとも優秀な生徒を支援していた。そういう奨学金を受けることは生徒にとってもちろん誇《ほこ》りである一方、奨学生はかなり大きなプレッシャーも感じていた。成績が悪くなれば奨学金は打ち切られてしまうことがあるし、教員も同級生も誰が奨学金をもらっているかはわかって

国家試験に導入された理科実験に備えて練習に取り組む最上級生

いる。何かあれば「お前は奨学金をもらっているんだから……」とすぐに周りからひと声かかる。授業料を滞納した同級生が名前を呼ばれて教室を出ていくのを見ている奨学生の気持ちを想像すれば、居心地《いごこち》がいいはずはない。自分のペースでがんばれ！と応援してやるぐらいしか、こちらにできることはなかった。

奨学生募集《ぼしゅう》の際には、〝将来の夢〟という作文を書かせることが常だった。外国人という理由で、それらの作文を添削《てんさく》するように求められて、ぼくも読んだ。驚いたことに、ほとんどの男子は「将来は大統領になって、人々の暮らしを豊かにする」と書いた（女子は医者になるか、先生になるかだった）。でも、日本でどれだけの中高校生が将来の夢として「首相になる」とか「国のリーダーになる」と作文に書くだろうか。奨学金に応募するクウィセロ中等学校での優秀な生徒たちが、どれだけ明確に〝大統領〟になる道筋《みちすじ》をイメージできていたのか。どう考えても、その夢はあまりに儚《はかな》いはずだった。彼らの夢には具体性は求められないのか、あるいは具体的な夢がないから〝大統領〟なのか。それも建国間もない国の子どもたちの〝大志〟なのか。夜、彼らの作文を、ロウソクの灯の下でため息つきながら読んだ。

夢とはなんだろう、可能性とはなんだろう。翌日のぼくの数学や物理の授業は、彼らの夢や可能性をどれだけ後押しするのだろう。そう考えると、じわじわと辛《つら》かった。

## 体《たい》罰《ばつ》

生徒が払う授業料には、日本では個人負担となるノートや筆記具（鉛筆《えんぴつ》ではなくボールペン）といった文房具代も含まれていた。同僚たちによれば、文房具を生徒が各自負担するとすれば、ノートもボールペンも持たずに学校にくる生徒が必ず出てくるのだという。教科書は一応政府が支給することになっているけれども、クウィセロ中等学校に限らず多くの学校で生徒数だけの教科書が確保できない。そのため教科によっては、黒板に書かれた教科書の内容を、生徒にノートに書き取らせることに時間の大半を費やすような授業もあった。その際にノートもないでは、学校にくる意味もなくなってしまう。そのため最初から文房具代

学校には水道がないので、生徒たちは雨水をためて飲料や洗濯に使っていた。乾季になると、村外れの井戸からこうやって生徒が水を運んだ。バケツには10ℓ程度の水がはいる。10kgを運ぶのはかなりの重労働だ。水運びを男子生徒がすることは珍しく、ほとんどいつも女子生徒が命じられてやっていた。今ならそれは変だと気がつくけれど、当時のぼくはあまり気にならなかった

も学校が徴収《ちょうしゅう》し、現品支給で生徒に配布する仕組みができていた。

ノートを使い切ってしまうとどうなるのか。生徒は、そのノートを教科の担当教員に提出する。担当教官はノートが隙間《すきま》なく記入されているのを確認したうえで、ノートにサインをする。そのノートを学校の事務室に提出すると、新しいノートがもらえた。

ぼくも自分が担当する教科のノートを確認し、一杯になったノートにはサインをして生徒に渡していた。けれども、ぼくに提出されるノートがやけに薄いことにあるとき気がついた。生徒たちはノートの中のほうのページを切り取っていたのだ。その薄くなったノートにぼくのサインをもらい、事務室で新品のノートをもらう。切り取ったページはなにか他のことに使うのだろう。まったく油断がならない。しかし、なかなか賢いなぁ。

生徒たちにとって紙は貴重品だ。日本と同じように、わら半紙を配る際に列ごとに生徒数を数え「一枚《まい》ずつとって、後ろの生徒に回すように」と最前列の生徒に渡《わた》しても、いつも最後部の生徒に届く前に紙が足りなくなった。一枚ではなく二枚三枚と取ってしまう生徒が多くいたんだ。結局、紙を配るときはひとりひとりに手渡ししなければいけなかった。

学校の規則を破ったり、ノートの中を切り取ったりするズルをしたりすれば、生徒は職員室に呼

ばれる。そして教員からお説教をくらい、ムチ代わりの木の枝で指先やお尻《しり》を叩かれる。説教の際には自己弁護も許されていて、ときにはおとがめなしということもあったけれど、多くは教員側の主張が勝つ。

　指先をムチで叩かれるとかなり痛そうだ。それでも叩かれる瞬間《しゅんかん》に指を引っこめたりすると再度やり直しになるから、生徒はじっと我慢する。お尻を叩かれるときは、生徒は床に這《は》いつくばる。

　もちろん、教員が感情に任せて生徒を叩くようなことは禁止されていた。また、顔や頭を叩くのも駄目だ。顔や頭を叩かれれば、その子どもの保護者は黙《だま》っていない。体罰は常に職員室でみんなの前で行われ、生徒も自分の罪を認《みと》めた上で叩かれる、というタテマエは守られていた。

　休み時間や昼食時に、呼び出された生徒が打たれることがよくあった。日常茶飯事《にちじょうさはんじ》なので多くの同僚は気にもかけないけれど、すぐ横でムチがしなり、ピシッと叩く音がするというのは、気持ちがいいものではない。それに、あの涙いっぱいの目。自尊心《じそんしん》から職員室の教員の前では涙を流したくないのだろう、精一杯に我慢するのだけれど、それでも本人の意志にかかわりなく溜まった涙がフルフルと下まぶたからこぼれ出る。そして、つるぅりと頬骨《ほおぼね》の丸みにそって流れ落ちた。見る角度によっては、涙の小さな水晶《すいしょう》の中に向こうの景色が逆さまになって現れる。それは美しかったけれど、打たれた生徒の心情を思えば痛ましい。そして、そんな折檻《せっかん》が行われる横でとる食事は、おいしいはずもなかった……。

## 何枚もの舌《した》

　ぼくがケニアにいたのは、一九九一～九二年。ケニアが一九六三年独立以来の一党独裁制《いっとうどくさいせい》を捨《す》て、複数政党制に切り替わった大きな変革《へんかく》の時期だった。何年も続いていた独裁政権《せいけん》に対して国際社会から民主化の圧力が強まり、ケニア政府が折れる形で、野党の存在を認める複数政党制が導入されたんだ。複数政党下での初の大統領選挙に向けて、職場でも休み時間になると政治談義が盛《さか》んに交わされていた。

ぼくの赴任地《ふにんち》は、ケニアの民族集団の中で二番目に人口の多いルヒアの人たちが多数を占《し》める地域だった。職員室で語られる政治談義でも、いくつか結成された政党の中のひとつだったルヒア政治家が率いる一野党を支持する声が大きかった。仲がよかった教員シテミを始め校長を含む同僚の多くが、長期政権を取っていた他部族出身の大統領には辛辣《しんらつ》だった。

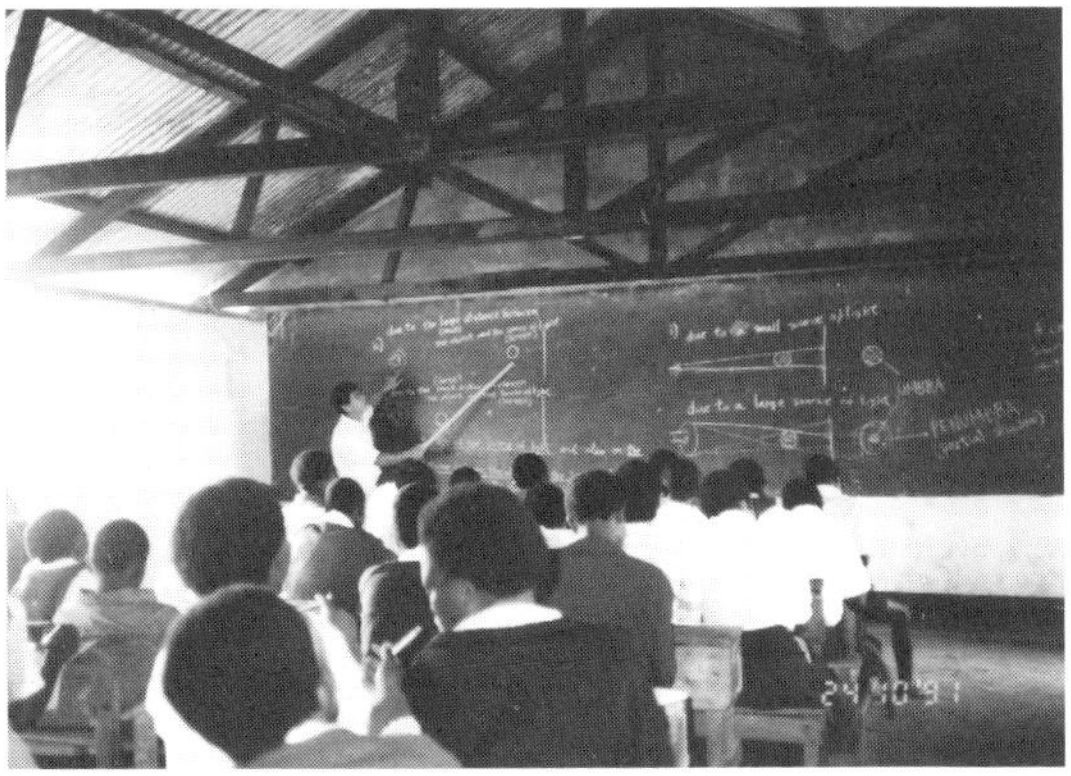
トタン屋根の教室で授業をするぼく

そんな選挙前のある日、当の大統領が村に選挙遊説にやってきた。その日、村の広場はこの地域にはこんなにもたくさんの人がいたのかというほど多くの人でごった返し、祝祭ムードに満ちた。シテミも配布された与党《よとう》支援の帽子《ぼうし》をかぶり大統領遊説を歓迎《かんげい》した。「あんなに大統領の悪口を並べていたのに」と不満を伝えるぼくに、シテミは多少バツが悪そうにしながら、でも朗らかで悪びれなかった。女生徒たちは、何日もかけて練習した歓迎ダンスを、大統領が乗った車が通る道筋で大汗をかいて踊《おど》った。大統領はその前を数秒で通り過ぎていった。そしてその翌日から、校長もシテミも同僚たちも、また野党支持に戻った。

その変わり身の速さに、そのときのぼくは反感をもった。でも、今なら笑ってすますだろう。

その後に関わることになる途上国の教育開発の現場で、ぼくはときに支援する側に、ときに支援される側に立つ必要があった。そこでは一枚の舌しか持たない誠実さより、二枚、あるいは三枚の舌を使いこなす切実さが勝る。開発支援では、個人の信念で多数にとっての利益が見送られていいはずはない。

複数の舌を持つことは、人を裏切《うらぎ》ってもいいという意味ではない。信念は必要なくとも、モラルは必要だ。そして、そのモラルの物差しはいつも自分自身の中に作っていくしかない。そこにはゆずれない線、越《こ》えられない線はある。

自分の複数の舌を自覚することは、相手の人たちの複数の舌を肯定《こうてい》することにもつながる。境界をまたいだ場所では、そんな複数形の舌のコミュニケーションを楽しむぐらいでちょうどいい。そして互《たが》いの複数の舌を尊重《そんちょう》することが、信頼にもつながっていくようにぼくは感じるようになっている。何より、そっちのほうが面白い。

## ハランベースクールのお祭り

クウィセロ中等学校は〝ハランベースクール〟と呼ばれる地域立の学校だった。ハランベーはスワヒリ語で〝助け合い〟という意味の言葉だ。つまりハランベースクールとは地域の人々がお金を出し合って作った学校で、政府からの予算では足りない部分は地域からの寄付で運営されていた。

年に二回ほど、地域の人たちを集めて寄付を募《つの》る日があった。その日は学校のお祭りで、集まった村人たちに昼食が振る舞われる。いつものウガリとスクマウィキに加えて、牛肉や鶏肉《とりにく》の煮込み、炊いた白米もつく豪勢《ごうせい》なご馳走《ちそう》だった。

クウィセロ村では各家で卵《たまご》を取るために鶏を飼っていた。あくまで卵が目的だから、鶏を絞《し》めて食べるのはクリスマスなど特別なときだけだ。その鶏が料理されてテーブルに用意されると、お祭りの雰囲気《ふんいき》がいっきに高まる。料理を担当するジュディスが「どの部位がいちばんうまいか知っているか？」とそっと尋《たず》ねるので「お尻の部分でしょう」と答えると、彼女はニンマリとウィンクしてその部分をぼくの皿によそってくれた。

昼食をはさみながら村の有力者たちが簡単なスピーチをして、幾許《いくばく》かの寄付をしていく。するとその人の名前と寄付された金額がスピーカーで大きく発表された。参加者はそのアナウンスを聞くと拍手《はくしゅ》を送り、食事中で右手が汚れていれば左手で右手の二の腕を叩いた。とくに金額が大きくなると盛大《せいだい》な拍手になった。

中にはただ喰《ぐ》いのような参加者もいたけれど、だからといって苦情を受けることもなかった。昼

校内のお祭りの日に、踊りを楽しむ生徒たち。写真左端に写りこんでいる警官の服装をした生徒が、踊る生徒たちを取り締まる警官を演じて笑いを集めていた

食後、ひとりの老婆が寄付箱の前に歩み出てマイクを握った。「私は、この学校の設立のときから寄付をしている」と彼女はルヒア語でいった。「孫が今もこの学校に通っていて、私はとても誇らしい」と続けた彼女は、ポケットからしわしわの小額紙幣《しへい》を取り出すと寄付箱にていねいに入れた。昼食代にも足りない寄付だったけれど、彼女にも大きな拍手が送られた。

　しかし、ぼくは心配だった。あんなに豪勢な昼食を出して、はたして本当に元が取れているのだろうか。後日に会計担当に確認したところ、良くてトントン、悪いときはむしろ赤字になっていた。ぼくはそんな結果が大いに不満だった。だったらもっと質素な食事を出せばいいのにと、校長に伝えたこともあった。

　援助の仕事に長くかかわってきた今、あの祝祭に満ちた日を振り返ると、あれは学校にとってとても大切な一日だったのだと思う。その大事な日に、ウガリとスクマウィキだけの食事ですませたら、むしろ地域の人たちに失礼になるんだ。あのお祭りがあるから、村人たちは学校を支えているという誇りを持てるし、だからこそ学校が本当に財政危機《きき》に陥れば、きっとそのときは食事なしでも寄付は集まるに違いない。校長始め学校を運営する人たちにはそれがちゃんと理解《わか》っていた。だから無理してでも贅沢《ぜいたく》な鶏肉を出し、祝祭の日を華《はな》やかに彩《いろど》った。たった一回の収支を細かく気にしていたぼくのほうが、よっぽど大切なものが見えていなかったんだ。

今日、効率性がいっそう問われる世の中になっている。大事なのは、損をしないで儲《もう》けられるかどうか。無駄《むだ》はぎりぎりまで排除《はいじょ》され、費用対効果（投入した費用に対して、どれだけの成果が上がったかを測ること）が少しでも高いほうが優《すぐ》れているかのような価値観が広がっている。でもそれだけでは人の社会はきっと窒息《ちっそく》していく。人の感情や思いは、けして効率性では動かない。今や海外開発支援を計画実施するときに、費用対効果はもっとも大事な評価指標になりつつある。けれども、開発支援の多くは人を動かすことだ。そこには大なり小なり感動や感激《かんげき》が必要で、それは費用対効果では測れないし、むしろ費用対効果の物差しを杓子定規《しゃくしじょうぎ》にあてれば無駄なものと分類されてしまう危険性《きけんせい》が高いものもある。効率重視とは、実は人を孤立《こりつ》させるものではないだろうか。

## ビクトリア湖への遠足

クウィセロ村での単調な食生活については伝えたけれど、夕食は自分で作っていたぼくは、週末にビクトリア湖畔にある大きな町キスムまでよく買い物に行った。クウィセロ村からキスムまでは未舗装《みほそう》の赤土の道を二〇キロ、舗装された国道を三〇キロほど南東に走り、五〇ccのバイクで一時間ちょっとかかった。クウィセロは北半球に、キスムは南半球に位置していたので、クウィセロとキスムを行き来するたびに赤道を通過していたことになる。キスムはケニア西部最大の町で、市場も大きい。そこで山積みのオクラが日本と同じ名前で表示されているのを見て、オクラがアフリカ原産の野菜であることを知ったりもした。

あるとき、キスムから戻る途中、クウィセロ村の入り口あたりで生徒たちと出会った。バイクを停めて話していると、彼女らはぼくが買ってきたものを興味深そうに調べだして、そしてニンジンを指差し「これはなんという食べ物だ？」と聞いた。彼女らにとってニンジンは初めて見る野菜だったんだ。

　クウィセロの小さな市場で売られていた野菜は、トマト、タマネギ、分葱《わけぎ》、いくつかの豆類、スクマなどの葉物、たまにナス等で、ニンジンは見当たらなかった。ニンジンだけではなく、レタス、大根、キュウリ、セロリといったものもない。キスムの市場で売っている、ぼくにとっては当たり前の野菜の多くが、クウィセロでは流通していなかった。野菜だけでなく、たとえば粉胡椒《こなこしょう》やカレー粉もクウィセロでは見かけなかったし、ビクトリア湖でとれるティラピアやナイルパーチというおいしい魚も、クウィセロには届かなかった。

　聞けば、学校のほとんどの生徒――多くが一〇代中頃から後半の年代――は、キスムの町に行ったことがないという。ビクトリア湖を見たこともない。距離《きょり》にすれば五〇キロだけれど、クウィセロからキスムに行くためにはマタツという小さな乗り合いバスを乗り継いで片道数時間はかかる。未舗装の道は雨が降ればぬかるんでマタツが立ち往生するような箇所《かしょ》もいくつかある。キスムの町にちょっと時間のかかる用件でもあれば、日帰りはむずかしかった。加えて、クウィセロ村の住民の多くはルヒア語を母語とする人たちだけれど、ビクトリア湖畔のキスム周辺はルオー語を母語とする人たちの世界でもあった。そんなわけでクウィセロの人たちにとって、五〇キロ離れたキスムは、ぼくがバイクで気楽に往復するよりもずっと遠い町だったんだ。

　生徒たちの前でぼくはニンジンをかじってみせた。何人かの生徒がぼくをまねて人生初のニンジンに挑戦したけれど、みなニンジンの青臭《あおくさ》い香りに顔をしかめ、それを見た周りの生徒たちは大笑いだ。


　自分の中にあるさまざまな価値観、物差しが、あくまで自分が過ごしてきた狭《せま》い世界だけで通用するもので、その物差しだけで物事を見ていたら気がつかないことがたくさんある。それがぼくの最初の海外生活の場所であるクウィセロで得た大きな経験だった。そして、ニンジンはその象徴《しょうちょう》だ。

　二年間の仕事を終えてクウィセロ村を去る日、ナイロビに向かうバスの出るキスムまで、ぼくは大きなトラックを借りて生徒たちのキスム遠足を実行した。初めて見るビクトリア湖に、生徒は歓声を上げげた。「インド洋はこれよりももっともっと大きいんだよ」と告げる、同行してくれた先生の言葉にうなずいた生徒たち。彼らの何人がその後インド洋を見ただろうか。大西洋や太平洋を見た子はいるだろうか。

クウィセロ村の路上マーケットで豆や野菜を売る人。市場ではルヒア語が使われていた

# 第2章 フィリピン

## フィリピン共和国

面積　29.9万平方キロメートル（日本の約8割）
人口　約1億98万（2015フィリピン国勢調査）
首都　マニラ
言語　フィリピノ語、英語、他
略史
16世紀　スペイン統治始まる
1898年　米国統治に変わる
1942-45年　日本による軍政
太平洋戦争中のフィリピン人犠牲者　約105万人
1946年　米国から独立

1人あたりGDP　3014米ドル（2018 IMF）
日本はフィリピンにとって最大の援助供与国
在留日本人数　1万6570人（2017）

データは日本国外務省のHPより抜粋
フィリピン人犠牲者数　「Weblo辞書 太平洋戦争による被害」の項より

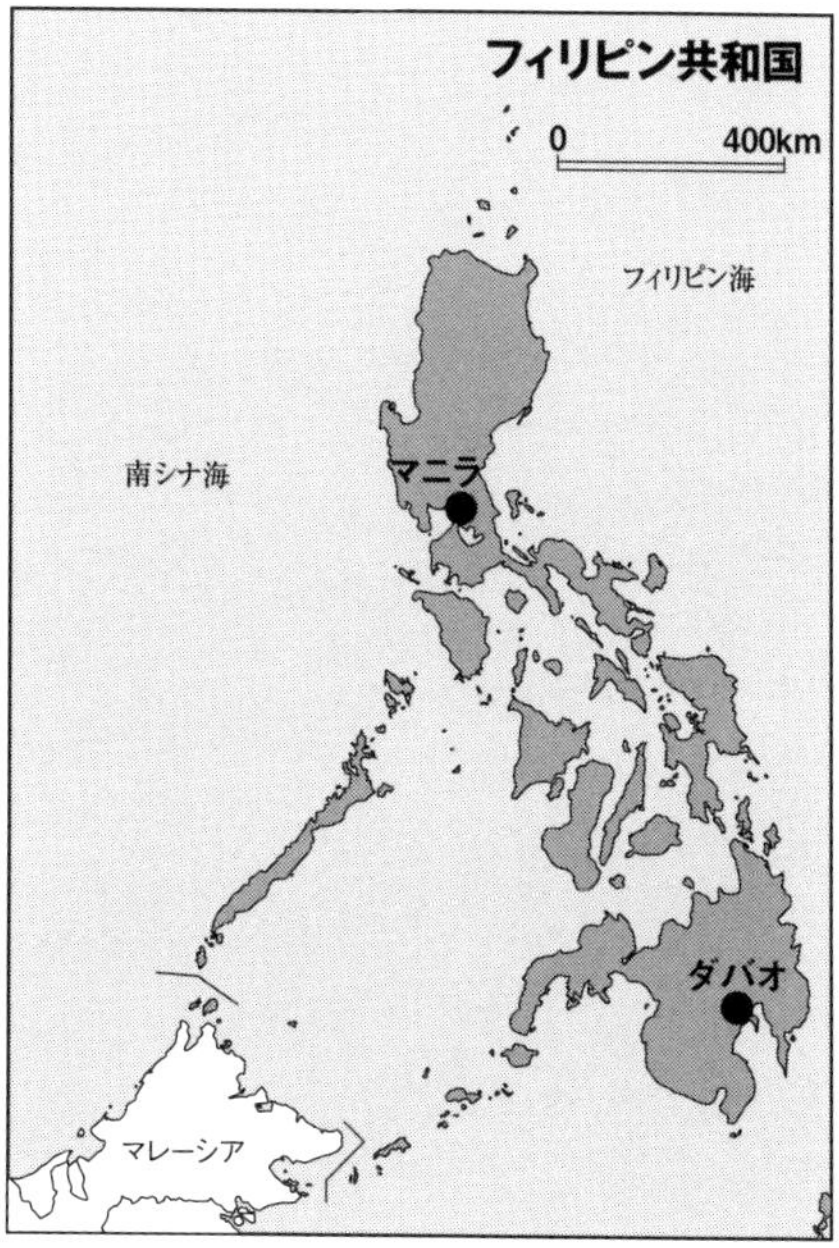

## 開発援助《えんじょ》を仕事にして

クウィセロ中等学校での教員生活を終え、ケニアから日本に帰ったぼくは、もうすぐ三〇歳《さい》になろうとしていた。ケニアでの二年間の経験をその後どう活かすか。日本でも先生として学校で働くという選択肢《せんたくし》もあった。でも途上国《とじょうこく》の支援《しえん》を続けたいという思いのほうが強かった。「国際協力の分野で仕事をするなら、大学院にいって修士の資格をとったほうがいい」とすすめてくれる人もいた。国際連合、あるいは世界銀行やアジア開発銀行などの国際機関では、世界中の国々から多くの人々が集まって仕事をしている。給料も悪くない。とくに途上国の人たちにとって、国際機関で働くことは本国で働くよりも高い収入《しゅうにゅう》を得られる。そのため競争も激しい。その結果、どうしても高学歴の人たちが集まることになりやすい。つまり、国際協力の場は、ときに厳《きび》しい学歴社会という現実がある。

日本に帰ったぼくは、一年間アルバイトをしながら勉強して、国際開発について学ぶことができる大学院で七年ぶりに学生となる道を選択した。

そして二年間が経ち、その大学院を修了《しゅうりょう》して、人づての紹介《しょうかい》もあり国際開発に関係する小さな会社に就職《しゅうしょく》し、フィリピンで行われていた理数科教育改善《かいぜん》を目的としたＯＤＡ（政府間援助）プロジェクトに派遣《はけん》されることになった。

プロジェクトの中には複数の日本人が関わっていた。フィリピン大学の先生たちと協力して理数科目の教材開発を行う人、開発された教材を使って現職教員に研修を開くマネージメントをする人。学校現場で実際に教材を使って授業する先生たちの支援をするために、何人もの青年海外協力隊員も派遣されていた。しかし、教材教具が十分に整備されていない学校現場の先生たちにとって、首都マニラにあるフィリピン大学の先生たちが開発した教材を使いこなすのは簡単《かんたん》でないことも多かった。

フィリピン大学の教材開発チームと、地方の学校で奮闘《ふんとう》する青年海外協力隊チームとの間の情報交換《こうかん》をより円滑《えんかつ》に行い、マニラでの中央研修後に、地方で実施《じっし》されつつあった教員研修の支援をすることがぼくの役割だった。青年海外協力隊経験者で、途上国での理科教育支援の経験があったこと

宝物を持つ少年。後日、現像したこの写真を持って同じ場所を訪ねたら、幸運にも再会できた。写真を渡すと、家族に見せようと走り去っていった

がプロジェクトにとっては好都合だったんだ。

途上国の教育を応援《おうえん》するにもいろいろな方法がある。ユニセフやユネスコに寄付することや、学校建設をやっている非営利団体（以下、ＮＰＯ）のチャリティーに参加するのもたしかな応援だ。

ぼくの場合は教育の質向上を応援することで自分の食い扶持《ぶち》を得ていたわけで、それなりの責任というか、専門《せんもん》技術も必要だと自分では思っていた。ぼくにとってフィリピンでの日々は、支援の素人《しろうと》だったボランティアの時代から、援助を仕事とするプロの厳しさを学ぶ過渡期《かとき》にあったと思っている。

フィリピンでは、最初の一年をマニラの教育省本省で、残る二年半ほどをフィリピン南部ミンダナオ島の都市ダバオの教育地方事務所で勤務《きんむ》した。

## バクラとトンボイ——平和を醸《かも》し出す人たち

クリスマス前の時期、フィリピンではなかなか仕事が進まない。職場やコミュニティで、いくつもクリスマスパーティが開かれるからだ。職場でのパーティは、もちろん勤務時間内に開かれ、ゲームやダンスで大いに盛《も》り上がる。パーティの担当《たんとう》となったスタッフは、一か月以上も前から仕事そっちのけで準備に忙《いそが》しい。それぞれの部局では、歌や寸劇などの出し物の練習も必要だ。もちろん

それも業務時間内に行われる。

パーティで必ず準備されるのが、レチョンバボイ。〝バボイ〟が豚《ぶた》、〝レチョン〟は丸焼きの意味だ。食事前のお祈《いの》りが終わると、参加者は豚の丸焼きに群がりお気に入りの部分をナイフで切り取る。大きな豚の丸焼きがみるみる小さくなっていく。いい具合で飴色《あめいろ》に焼けたパリパリの皮の下の肉はしっとりと柔《やわ》らかく、極上の味だ。パーティには職員の家族も参加するので、子どもたちが丸焼きと格闘《かくとう》するのも微笑《ほほえ》ましい。毎年開かれるパーティで互《たが》いの子どもたちの成長を知るのも、職場の結束を高めるいい機会になっている。


パーティで欠かせないのが、芸達者の存在《そんざい》だ。フィリピンの人たちは歌や踊《おど》りを生業として世界中で活躍《かつやく》しているけれど、けしてすべての人がパフォーマンス好きなわけではない。苦手な人も当然いて、踊りを勧《すす》められても「いやいや、わたしはどーも」という感じでたじろぐ例も少なくはない。そんな中で、ぐっと存在感を発揮《はっき》するのが〝バクラ〟の人たちだ。

フィリピンでは、女性の心をもった男の人、あるいは男性の心をもった女の人、の存在が広く認《みと》められている。前者は〝バクラ〟、後者は〝トンボイ〟と呼ばれる。教育関係者にもバクラやトンボイの人は多い。彼らはとくに女装《じょそう》・男装するわけではなく、しかしその身振りや話しぶりで、それと知れる。ぼくのまわりのバクラの方のなかには、女性と結婚《けっこん》してお子さんがいる人もいた。トンボイの人も同様で、ガールフレンドばかりではなくボーイフレンドのいるトンボイもいる。性愛の境界線も人それぞれ。そして、彼ら彼女らのように中間的な性を持つ人たちは「平和を醸し出す人（peace maker）」と呼ばれて、ある種の敬意《けいい》の対象にもなっていた。これはフィリピンの素晴らしい文化のひとつだろう。

そんなバクラの人たちにすてきな芸達者が多かった。彼らが踊りだすと、もう止まらない。まわりの歓声《かんせい》を浴びながら、見事なステップでダンスを踊る。そして観客の手を引き踊りの輪に次々と巻きこんでいく。こうして彼（女）らの偉大な貢献《こうけん》もあって、アルコール抜きでパーティはいつも大いに盛り上がった。

フィリピンで働くまで、ぼくは人前で歌ったり踊ったりするのは苦手なほうだった。今でも得意というわけではないけれど、フィリピンで鍛《きた》えられた結果、〝同じアホなら踊らにゃ損〟という境地にたどり着くことができた。ちょっとした屋台でも、フィリピンの人たちはカラオケを楽しんでいる。そしてそれらはけしてすべてが上手いわけではない。なんとも音痴《おんち》な歌声も多い。それでも、本当に楽しそうに歌う人が多かった。やっぱり踊らにゃ損なのだ。

豪勢《ごうせい》な豚の丸焼きに群がり、上手いも下手も共にダンスに興じる。フィリピンの人たちが楽しむことを大事にしているというのは、本当にそのとおりだ。でも、それはいいことばかりではなかった。教員研修後、プログラムの不手際にぼくが仏《ぶっ》頂面《ちょうづら》になっていても「問題ないよ、エンジョイ（楽しまなくちゃ）！」で済《す》ましてしまう同僚《どうりょう》たち。うーん、本当にエンジョイだけでいいのかなぁ、もう少し真面目《まじめ》に反省会をやりましょうよ、と思うことも少なくなかった。同僚らにすれば、ぼくのようにすでに過去となった不手際をいつまでも気にして、いったい誰《だれ》がなんの得をするのだということになる。うーん、それはそれでわかるんだけれど、でもなぁ……。

## エリート女性の活躍と、階級という境界

あなたはエリートという言葉を聞いて、どんな印象を持つだろう。原語はラテン語で「選ぶ」の意味で、つまりエリートとは「選ばれし者」、転じて「ある集団の中で、優《すぐ》れていて、指導的な立場にある人たち」を指している。日本では、高学歴で官僚《かんりょう》や大きな企業《きぎょう》に勤《つと》める「社会的成功者」という意味にも使われ、「お高く冷たい」というようなマイナスのイメージもつきまとう言葉でもある。でも多くの途上国では、エリートという言葉に負の意味は含《ふく》まれない。フィリピンでもそうだ。

フィリピンの教育省に入って印象的だったのは、女性スタッフの多さだった。七〜八割の職員が女性なんだ。フィリピンの事情に詳しい人によれば、財務省や外務省といったエリート中のエ

リートが行く省庁は依然《いぜん》男性優位ということだった。それでも中央にある省の職員の大多数が女性というのは、日本ではありえない。もちろん上級職の中にも多くの女性がいた。彼女たちは自分たちがエリートであることを自覚し、それを誇《ほこ》りにし、責任感も強いようにぼくは感じた。

フィリピンでの国語はフィリピノ語で、首都マニラを中心に使われている地方言語のひとつであるタガログ語を基本にしている。独立前は米国の植民地だったこともあり、英語も広く流通している。たとえば理科や算数は、小学校から英語を使うし、交通標識もほとんどが英語表記だ。エリートの家庭では、母語としてふだんから英語を使うことも多い。

マニラでぼくが一緒《いっしょ》に働いた教育省職員はほとんどがそんなエリート家庭の出身で、高い教育を受け、英語が流暢《りゅうちょう》なのも当たり前だった。さらには、泊《と》まりがけの地方出張にも彼女たちは勇《いさ》んで出かけた。世界には、夫や親から許可がもらえずに女性が出張に行けないなんて社会も少なくないけれど、彼女たちは平気だった。

教育省の多くの職員は教員経験があった。まず教員になり、働きながら週末に大学院に通い修士をとり、それから教育省スタッフになるという出世の道筋《みちすじ》があるんだ。彼女らの多くは家庭を持ち、子どもを育ててもいる。そんな彼女たちが仕事をしながら大学院などに通い資格を取り、公務員として朝から夕まで勤務できるのには、やはりそれなりの理由があった。

彼女たちの家庭には必ずといっていいほど家政婦やベビーシッターがいて、家事から保育までを担当していた。その働き手の多くは住みこみで、住居費や食費はかからないし、病気になったときにはその医療費《いりょうひ》も雇《やと》い主が出してくれることが多い。一〇代の若《わか》い働き手ならば、日中は学校に行かせてもらうこともあり、その学費も雇い主が払《はら》う。しかしその分、給与《きゅうよ》は格安だ。経済的《けいざいてき》に豊かな親戚《しんせき》に子どもを預《あず》け、学校に行かせてもらいながら家事保育を請け負うというケースもあったけれど、多くは貧しい家庭が人減らしの意味もあり、細い伝《つて》を頼って娘を都会の見ず知らずの裕福《ゆうふく》な家庭に送り出す。

豊かな家庭の子どもは性別に関係なく高い教育を受け、安定した職に就《つ》く。貧しい家庭の子ども、とくに女の子が、そんな豊かな家庭の下支えをしていた。フィリピンはこうした社会階級の格差が歴然として存在するところだ。

エリート女性らの自立を支えている家政婦たちは、多くが学校教育を途中であきらめ英語は話せないことも少なくない。社会的な経験も豊富でないから、ちょっとしたことで仕事を失ってしまっても泣き寝入りするしかない。たとえば家の中で何かが紛失《ふんしつ》すると、まず家政婦に疑《うたが》いの目が向けられる。疑いだけで解雇《かいこ》されてしまっても、文句

職場（上）でも、町（下）でも、クリスマスは大盛り上がり

を伝えるところもない。さらに雇い主たちの、とくに男性からのハラスメントを受けることも少なくはない。ハラスメントを受けているという意識を持てないまま被害が継続《けいぞく》することもあるし、もしハラスメントが発覚しても、せいぜい小金を渡されておしまいだ。運良く学校に行かせてもらえるのも小中学校までで、雇い主の子と同様に高等教育まで送り出してくれる例は多くない。

立場を変えてみると、家政婦を雇う豊かな家庭側には、貧しい家庭の子を助けている、良いことをしているという意識がある。そしてぼくの知る限り多くの雇い主家庭は実際に優《やさ》しく、思いやりをもって家政婦に接していた。家政婦やベビーシッターも心を込めてはたらく。雇い主の子どもが親よりも家政婦やベビーシッターになついてしまうケースも多いと聞いたけれど、一緒にいる時間が圧倒的に長いのだから不思議はない。

フィリピンでは、海外で働く出稼ぎ労働者の送金が、国内総生産の一割に達する。出稼ぎ先は香港、東南アジア、中近東が多く、男性は建設現場で、女性は家政婦やベビーシッターとして働くことが多い。彼女たちは、家政婦の中でも英語を身

につけることができた出世組だ。

週末に招かれて、同僚のお宅で家庭料理をごちそうになることがあった。そんなときは同僚が自ら台所で指揮《しき》をふるい、とっておきの家庭料理が供される。〝バンガス（ミルクフィッシュ）〟という魚を使った凝《こ》った肉詰《にくづ》めの料理。ピーナッツバターを使った〝カレカレ〟という名の煮込み料理。東南アジア諸国《しょこく》料理の中では地味な存在のフィリピン料理には、優しい味つけで滋味深いものが多い。そして自慢気《じまんげ》に料理を紹介してくれる同僚の後ろには、実はその調理の多くを担当したであろう家政婦が、いつもニコニコとたたずんでいたんだ。

フィリピンという国は、持てるものと持たざるものの格差が生々《なまなま》しく存在するところだ。スペイン植民地の時代に作られた大農場の所有者からつながるとても豊かな数十の親族が、現在も国土の半分以上の土地を所有している。社会的階級が固定し、富める家族の子どもたちはその富を相続し、貧しい者がそこに食いこむのはほとんど不可能だ。フィリピン映画《えいが》の定番の筋書きは、富める一家の息子（あるいは娘）と貧しい娘（あるいは青年）との恋愛《れんあい》物語で、映画では最後にふたりは結ばれるのだけれど、つまりそれは現実では起こりえないからドラマになる。「国境を超《こ》えるよりも、階級を超えるほうがむずかしい」ということを、ぼくはフィリピンで強く実感した。

## ダバオの若い友人たち

マニラで一年過ごした後、ミンダナオ島ダバオ市にある教育省地方事務所に務めるようになった。ダバオは、太平洋戦争前に日本人が多く移住したのを契機《けいき》に発展《はってん》した町で、今ではフィリピン第三の大きな都市になっている。ダバオが位置するミンダナオ島東部は、太平洋戦争後に多くの人々がフィリピン中部から移住してきた開拓地だ。そのせいで、ダバオの人々が話すのは、フィリピン中部で広く使われているビサヤ語だ。

ダバオ市内、教育事務所近くの道端《みちばた》で夜営業する屋台で、ビールを飲みながら焼き鳥をかじっていたとき、向い合せの席に座《すわ》ったのがクリスだった。同じ屋台で何回か顔をあわせるうちに、ぼくとクリスはいつしか言葉を交わすようになり、仲良くなった。彼女の案内で入りこんでいったダバオの市井《しせい》の人たちの暮《く》らしは、それまで付き合いのあった首都マニラの教育省の同僚たちとは違《ちが》うフィリピンへの扉《とびら》をぼくに開いてくれた。

クリスは一〇代後半、中等学校（当時のフィリピンの教育制度は、初等教育六年――中等教育四年――高等教育四年）を中退し、とくに何をすることもなく日々過ごしていた。彼女の父親はずっと前に亡《な》くなり、母親は文通で知り合ったかなり年上のドイツの人と結婚しドイツに住んでいた。父親違いの兄はすでに結婚して妻の家で暮らしていて、クリスは母方の祖母と叔母《おば》家族と暮らしていた。ふたりの幼子がいた叔母は、軍人だった夫は失踪《しっそう》し、スーパーの売り子として朝から晩まで働いていた。つまりクリスを〝管理〟する大人は年取った祖母だけで、優しく寛容なその祖母のもとで、母親からの送金を頼りに彼女は大いに自由を謳歌《おうか》しているのだった。

彼女の兄弟、いとこ、親戚、さらには友人も若い面々はみな似たりよったり、学校は中等学校を卒業していればいい方で、定職もなくその日暮らしの子が多かった。彼らの家に遊びにいけば、だいたい働き者の母親と、ぼちぼちと小金を稼いでくるちょっと頼りない父親がいて、小学校に通う弟妹がいる。どの家庭もたいてい親戚の誰かが海外で働いていて、その仕送りが日々の暮らしの大事な収入源《しゅうにゅうげん》だった。貧しいけれどそこには彼らのたしかな生活があり、ケンカや嫉妬《しっと》や、たくさんの失敗とちょっとばかりの成功とが渦巻《うずま》いていた。

フィリピンの人たちが話せるとされている英語も、クリスの友人たちは単語をぽつぽつ口にするだけ。そんな中、英語はそこそこできるクリスは親分格だった。やがて、週末になるとクリスに連れられた若者たちが「腹《はら》が減った、なにか食わせて」とぼくのアパートに集まってくるようになった。食事のあとに遊びにいくビーチで、彼らの小金稼ぎの顛末《てんまつ》や恋人《こいびと》とのケンカ話に耳を傾《かたむ》けるのは、仕事の疲《つか》れを取る絶好の気分転換《てんかん》の時間となった。

ダバオを離《はな》れた後のこと。世の中にフェイスブックというインターネット上のネットワークが普及《ふきゅう》した際、彼らがそこでぼくを再発見し連絡《れんらく》をとってきた。ガールフレンドを妊娠《にんしん》させて青くなっていたロメルは別の女の子と家庭を持っているし、結婚して子どもができたブライナーは、その妻に逃《に》げられて救急車の運転手をしながら子どもを育てている。

クリスは、彼女にとっては何人目かのガールフレンドと一緒に暮らしている。そう、彼女も性愛の対象が女性に向く〝トンボイ〟だ。今でもインターネットの中で彼らの元気そうな写真を見るとホッとする。

クリス（左端）と彼女のおばあちゃん（右から３人目）、弟といとこたち。おばあちゃんの片足には、日本軍が撃った流れ弾に当たり貫通した銃創が残っていた。おばあちゃんは 2018 年に亡くなった

20 年後のクリス（クリス提供）

## バロット——残酷《ざんこく》な食べ物？

アヒルの有精卵《ゆうせいらん》の胚《はい》発生がすすみ、卵のなかである程度まで育ったところをゆで卵にしたもの、それがバロットだ。ダバオの友人たちは、バロットが大好きだった。バロットを食べるのはたいてい夕暮《ゆうぐ》れ以降《いこう》で、庶民《しょみん》の気軽なおやつとして路上の夜店で食べられる。クリスたちがよく買っていたのは夜道を流しているバロット売りの自転車からだった。クリスは一四日目の卵がいちばん好きだといって、自転車バロット売りによく産卵後の日数を尋《たず》ねていた。

熱々のバロットは専用の卵立てに気室のある丸みの緩《ゆる》やかなほうの殻《から》を上にして乗せ、まず上部

の殻を取り除《のぞ》き、そこから小さなスプーンで中をかき混ぜながらすくって食べる。塩やライム、さらにハーブを加えた食味は濃厚《のうこう》で、同じような食感のモノが他に思いつかない。バロット好きが、ときどき無性にバロットを食べたがる気持ちはよくわかる。

日本の人にバロットを勧めると、多くが尻込《しりご》みする。なるほどじっくりとヒナを観察しながら食べれば、けして見た目のいいものではない。よく殻からすべてを皿の上に取り出して、それを写真に撮《と》りながら気味悪がる人がいるけれど、その行為《こうい》そのものがなんとなくグロテスクだ。バロットは殻のなかで中身を混ぜてすするのが作法で、孵化《ふか》前のヒナとしげしげと眼を合わせながら食べなくてもいいのだから。

気味悪いという気分の中には、育ちかけたヒナを食べてしまうのは残酷だという思いがある。けれど残酷というのは、かなり文化的で主観的物差しだ。とくに何を食べるのが残酷かという物差しは普遍化《ふへんか》しにくい。そもそも自分たちがふだん好んで食べているものは残酷とは思わない。他者が食べているものの中にだけ、残酷さがある。それを忘《わす》れて、バロットが残酷で焼鳥が残酷ではないというのは危険《きけん》だ。牛や豚という家畜《かちく》を食べるのはよくて、犬やイルカを食べるのは残酷で野蛮《やばん》というのは、あまりに単純な発想だろう。境界の外からよその食文化を語ることには、慎重《しんちょう》でありたいと思う。

ぼくがフィリピンで働いていたころ、中等学校のカリキュラムに軍事教練が含まれていた。教室の片隅《かたすみ》に、木の板をくり抜いて作ったライフルや機関銃《きかんじゅう》の模型《もけい》が積んであるのをときどき見た。その模型を持って隊列行進を行うのが軍事教練の主な内容で、教練といってもそれほど厳しい内容ではなかった。

ダバオ郊外《こうがい》の学校での教員研修中、外から異音がした。窓から音のする方を見ると、生徒たちが地面に這《は》いつくばって模型のライフルを構え、「パンパン」「ダダダダ……」と声で射撃音《しゃげきおん》をまねながらの教練中だった。はたから見れば、子どものお遊びだ。実際子どもたちの表情も、笑みを浮かべながらという様子で余裕《よゆう》たっぷりだった。

それでも彼らが模型銃の照準の先にどんな風景

を思い描いて、戦争ごっこのように「パンパン」と空想上の弾を撃《う》っているのだろうかと、少し気になった。

学校という場で、銃で敵《てき》を撃つ、つまり〝殺す〟練習をするというのも、ぼくにはとても残酷な行為に思える。国土を守る、自分の土地や財産、大切な家族を守る、というかけ声を否定《ひてい》するのはむずかしい。けれどいったい敵は誰で、どこにいるのか。

もちろん世界には紛争《ふんそう》地域はある。ある国の政府が他国の領土を侵略《しんりゃく》することが、二一世紀の今もないわけではない。でも世界の多くの地域では、人類誕生《たんじょう》後、今がもっとも侵略《しんりゃく》を受ける危険性は小さくなりつつある、といったら楽観的すぎると笑われるだろうか。

そして、もし個人（としての集団）同士が敵として対峙《たいじ》したら「パンパン」と撃ち合うのではなく、お互いに白旗を上げて、とにかく止めようというのが、いちばん残酷から遠いんじゃないだろうか。

フィリピンのカリキュラムから、その後軍事教練は削除《さくじょ》されたと聞いた（軍事教練に関してはフィリピン国内で多くの議論《ぎろん》があり、大学では今も行われているようだ）。具体的な仮想敵がいないのだから当たり前だと思う。一方で、残酷だからバロットは禁止するというニュースは、幸いまだ聞いたことがない。

## 日本による支配の記憶《きおく》

あるときクリスが「バカヤロ」とはどういう意味だと聞いてきた。太平洋戦争のときの日本軍支配で使われた言葉だ。それが今でも伝わっていることを知って、ぼくはショックだった。

欧州《おうしゅう》が世界一周に送り出したマゼランは、フィリピンのセブ島付近で現地の首長同士の勢力争いに首をつっこみ戦死する。一五二一年——日本の室町時代——のことだ。マゼラン後も次々と続いたスペインからの侵略軍によって、フィリピンは植民地化される。一九世紀終わりのごく短い期間につかのまの独立を果たすも、スペインに変わって今度は米国がフィリピンを支配し、独立は短い夢で終わる。さらに太平洋戦争では、日本軍がハワイの真珠湾攻撃《しんじゅわんこうげき》と同時にフィリピンに侵攻《しんこう》した。一九四一（昭和一六）年当時、ダバオには海外でいちばん大きな日本人町があり、その〝保護〟を理由にした侵略だった。一九四四年末までの三年間の日本軍支配の記憶は、それから七〇年以上たった今でもフィリピンにまだ色濃く残っている。

クリスの祖母の片足には、若いころに日本人に撃たれた銃創《じゅうそう》がある。そのときに彼女が死んでいれば、クリスがこの世に生まれてくることはなかった。

軍事教練の制服を着て整列する生徒たち。木製銃の数が足りないので、一部の生徒は捧げ銃の姿勢だけを取っている

ダバオ近郊での校長研修に参加したときのこと。休み時間に参加者と雑談していると、かなり年配の女性が意を決したようにぼくに近づいてきた。

「私《わたし》の父親は、日本の兵隊に殺された」と彼女はぼくの目を見つめた。「だから日本人とは席を同じくしないと決めている。そういうわけであなたとはご一緒する気はないことを、最初にお伝えしておきたい」

ケニアで働いていたときに、ケニアを植民地支配していた英国の悪口をよく聞いた。しかし歴史的にアフリカとの関係が濃くはなかった日本からきたぼくは、自分の出自を強く意識することはなかった。ところがフィリピンはじめ東・東南アジア諸国では、そうはいかない。ぼくはぼく個人である以前に〝日本人〟として見られ語られることが、多くあった。

校長研修プログラムはその後も続き、父親を日本軍に殺されたとぼくに告げた校長とは何回も顔を合わせる機会があった。最初の強烈《きょうれつ》な印象から、彼女がいれば必ずこちらから挨拶《あいさつ》するように心がけた。やがて何かの機会に、大好きだったというお父さんの記憶を彼女から聞くことができた。研修の昼食時、ぼくは彼女の近くに座ることは遠慮《えんりょ》していたけれど、いつしか彼女の方からぼくと同じテーブルに座ってくれるようになった。最初に「日本人は嫌《きら》いだ」と表明して、フィリピンで働くときに忘れてはいけない歴史があることを再認識《さいにんしき》させてくれた彼女には、感謝すらしている。

フィリピンの首都マニラが位置するルソン島の南部にレガスピーという名の町がある。その町の中心部には、一人の男性が両手を後ろ手にしてしばられひざまずいた姿勢《しせい》の銅像がある。その銅像には頭部がない。ヘッドレスモニュメントと呼ばれるその像は、フィリピンが日本軍に統治されていた時代に、レガスピーの港の突堤《とってい》で日本軍に「首切り」されたフィリピンの人たちを悼《いた》むためのものだと聞いた。第二次世界大戦当時、日本軍によって殺されたアジアの人たちは二〇〇〇万人にもおよんでいる。

国境を超えていくということは、そんな悲しい記憶ともつきあう必要が出てくるときがある。もちろん、自分が生まれてもいなかった過去のできごとに、今の若い人たちの責任があるはずはない。ただ、もし過去の歴史に無関心で、そして「人が人を殺す」戦争や紛争、さらには日常生活の中の「いじめ」も含めて、「人が人を虐《しいた》げる」ことを繰り返してしまうとすれば、その責任はとても重いだろう。

人を虐げることと境界とは、関係がもちろんある。「自分の仲間ではない」、つまり自分がつくった境界の外側にいる人だから「いじめ」たり「傷つける」ことが可能になるのだと思う。だから、自分の作り出している境界をいつも疑うことは、きっととても大事なんだ。

現在のフィリピンは、日本に最も〝近い〟国のひとつだ。沖縄《おきなわ》から見れば、北海道よりもフィリピンの首都があるルソン島のほうが近いという地理的な理由もひとつだけれど、国際結婚の相手として、フィリピンの人たちは常にその数で上位を占める。フィリピンの人は、男性も女性も世界的にとてもモテるんだ。きっと、彼らの優しさとコミュニケーション力の高さが大きな魅力《みりょく》なのだと思う。ぼくのフィリピンでの日本人の仕事仲間にも、フィリピンで恋に落ちて幸せな家庭を築いている人が数人いる。彼らの子どもたちは、フィリピノ語と日本語を使い分けるバイリンガルだ。日本とフィリピンとの境界を軽やかに行き来する彼らは、ぼくにはとてもかっこいい存在なんだ。

ルソン島レガスピー市にある日本兵に日本刀で首を切り落とされた市民を悼んだヘッドレスモニュメント。日本兵は港の突堤で首切りをしたのだと聞いた（1998 年に撮影）

## 怒《おこ》ったら負け

ダバオで、教育事務所の理科指導担当者のミラや数学担当コラたちとチームを組んで、ぼくは理数科教育質改善のための現職教員研修を進めていた。ぼくと組んでいたミラやコラには通常業務があって、定期的に学校をまわり運営指導を行うのもそのひとつだった。ある日もそんな学校訪問《ほうもん》があり、そのときは上司である教育局長バルデラマ氏も参加する大きな行事だった。訪問先の学校に現職教員研修で注目していた理科教員がいたこともあり、ぼくもそれに同行することにした。海外援助による支援プロジェクトは期間限定だ。その理科教員の授業の質が向上していることを、バルデラマ局長にアピールするいい機会だと思ったんだ。

局長直々の学校訪問に対して、学校側も万全の体制を整えて対応する。果物やきれいなランの花の鉢植《はちう》えといった局長へのおみやげが準備されるし、校庭や教室は生徒たちがきれいに掃除《そうじ》する。授業参観にもとっておきの授業が用意される。そのときの理科は、もちろんお目当ての理科教員の授業だった。研修で学んだ実験学習を取り入れたその授業は、なかなかの出来映《できば》えだった。

学校訪問の最後には、学校長や教職員に対して局長から直々《じきじき》にコメントが伝えられる。ぼくとしては「理科の授業はよかった」ぐらいの一言があるだろうと期待していた。局長からそういう一言がもらえれば、その理科教員や学校長はうれしいし、ぼくとしても今後の改善計画が進めやすい。ところが局長は、その日の理科の授業案が教育省の定める形式《フォーマット》と違うところがあったことを問題にした。フィリピンではまだ一般的でなかった生徒の活動を中心に据《す》えた授業を展開《てんかい》するため、その教員は従来の授業案の形式を多少変更《へんこう》していた。彼女はそれが気に入らなかったようだ。

規則や前例をすぐに持ち出す官僚的すぎるバルデラマ局長の日々の言動に、ぼくは以前から不満を持っていた。「授業案の形式よりも、まず授業の中身を問題にしてほしい！」期待外れのコメントにカッとなってしまったぼくは、思わずその場で彼女に反論し始めていた。「新しいものを認められないようなら、常に旧態依然《いぜん》が続くのであり、教育の質改善なぞ望めない」と同僚や学校の先生たちがいる前で局長に啖呵《たんか》を切った。

一気呵成《いっきかせい》に発言して着席した直後から「大変なことをしてしまった」という思いが頭をめぐった。上司に面と向かって反論するなんて、途上国ではあり得ないことだ。いたたまれなくなったぼくは、しばらくしてその場から逃げ出すように退席した。

会議終了後、ぼくは局長に謝罪した。とにかく人前で局長の顔を潰《つぶ》すようなことをした以上、それ以後の仕事がやりにくくなることは明らかだと思った。帰りのバスの中でしょげ返るぼくに、同僚たちはなんとなくいつもより優しかった。そして、その後も局長から意地悪をされるようなことは、なかった。後で知ったことによれば、ぼくの発言に対して局長はミラとコラに意見を求めたらしい。ふたりともずいぶんとぼくをかばってくれたようだ。

とにかく、ぼくは局長や同僚たちの大人の対応に救われた。ほんとうに運がよかった。でも、運がよかっただけだ。ぼくの怒《いか》りに任せた言動は、一度やったら取り返しのつかない最悪のコミュニ

ダバオ市内の中等学校。放課後に何か話しこんでいた

ケーションだったと今でも思う。怒ることでこちらの熱意や真摯《しんし》さが伝わるなんてことは、まずないと思っておいたほうがいい。そして問題が起こったとき去るべきなのは、外部から支援にやってきた者なのだ。

今のぼくならば、授業案にケチをつけた局長に「授業そのものはどうでしたか?」とていねいに尋ねるゆとりを持てるだろうし、学校訪問の前に局長室に行って参観予定の理科授業の見どころを説明するぐらいの手間もかけるだろう。それが援助に関わる者のごく初歩的な〝専門技術〟だ。

援助の場で、援助する側が怒ったら負けだ。

### ぼくの名前は「日本人」じゃないよ

ダバオで知り合った友人クリスの家でビールを飲んでいると、いろんな人が入れ代わり立ち代わり顔を出した。クリスの叔父《おじ》さんもビールに釣《つ》られてやってきた。とくに定職もなく、いったいどうやって収入を得ているのかはよくわからない彼は、新しく鶏卵《けいらん》の配送の仕事を計画しているらしい。けっこういい儲《もう》けになるようなことを楽しそうに話している。ただ足りないのは配送の車なのだそうだ。聞けばぼくの車を早朝貸してほしいという。どうやら最初からぼくの車を使う前提で、計画は進んでいたらしい。仕事で使う車だからとていねいに断ると、さも残念そうだ。ぼくに仕事を辞めて卵配送業を手伝え、そっちのほうが儲かるからと勧め始める。叔父さん、どうやらかなり酔っ払ってきたようだ。

近所の大学生が顔を出し、きれいな英語で挨拶をした。クリスたちとも仲良さそうにしばらく話して、帰っていく。彼女がいなくなったとたん、その場のみんなが彼女と彼女の両親の悪口で盛り上がる。要は成功している人に対するやっかみだ。フィリピンではバランガイと呼ばれる地区ごとの自治組織が発達していて、その中での住民同士の結びつきの強さが文献《ぶんけん》などでは強調されることが多い。そんな資料を読むと、隣《となり》近所が仲良く助け合って生活しているイメージが伝わってくる。しかし実際には、仲良く助け合うのも事実だけれど、他方では近所ならではの嫉妬《しっと》や諍《いさか》いも数多い。けして明るく楽しいイメージだけでは語れない内実がありそうだ。

ちょうどそのころ米国で行われていた大統領選挙にも話題はおよび、ぼくも意見を求められる。「日本政府の意見と、ぼく個人の意見と、どっちを聞いているの？」とまず確認する。そしてぼく自身は日本を代表しないこと、だから日本人一般としてではなく、ぼく個人の意見として聞いてねと確認した上で、滔々《とうとう》と自分の意見を述べることになる。

海外にいく若者に「日本の代表として恥《は》ずかしくない態度で」というようなことを訓示する人がいる。しかし日本国を代表するのは、日本政府直轄《ちょっかつ》の大使館があれば十分だ。ひとりひとりの個人が国を代表するという考え方を、ぼくは好きではない。セレモニーの場で国旗や国歌に敬意を払うのは当然としても、国家という大きな存在を市井の個人が代表する意味が、ぼくにはよくわからない。日本でも外国の人が問題を起こすとその国名が独り歩きすることはあるけれど、個人の行為とそのパスポートの国名とを強く結びつけるのは、どうかと思う。どこにも不調法な人はいるし、いろんな考え方の人がいる。あくまであなたがあなたとして恥ずかしくない態度で相手に臨《のぞ》めばいいし、ひとりひとりはそれしかできない。

ビールに酔っ払ったぼくも「ぼくの名前は日本人じゃないよ！」なんて声が大きくなっていった。

# 第3章　カンボジア

## カンボジア王国

面積　18.1 万平方キロメートル（日本の約半分）
人口　約 1600 万（2018 IMF 推定値）
首都　プノンペン
言語　カンボジア語（クメール語）
略史
9-13 世紀　アンコール王朝
1884 年　仏国の保護領となる。植民地化が進む
1940 年　日本軍が仏領インドシナに侵攻、日仏共同統治が始まる
1945 年　3-8 月　日本による軍政
1953 年　仏国から独立
1975-79 年　ポルポト政権の時代。大量の自国民が虐殺される
1979 年　ベトナムに支援された反ポルポト派によりポルポト政権が倒れ、新政権がカンボジアの大部分を統治する。しかし、その後もタイ国境沿いで勢力を維持したポルポト派軍との内戦が 1998 年まで続いた
1993 年　国連カンボジア暫定機構の下で国政選挙

1 人あたり GDP　1485 米ドル（2018 IMF）
1992 年以降日本が受け入れたカンボジア人国費留学生は 1100 人以上
在留日本人数　約 3500 人（2017）

データは日本国外務省の HP より抜粋

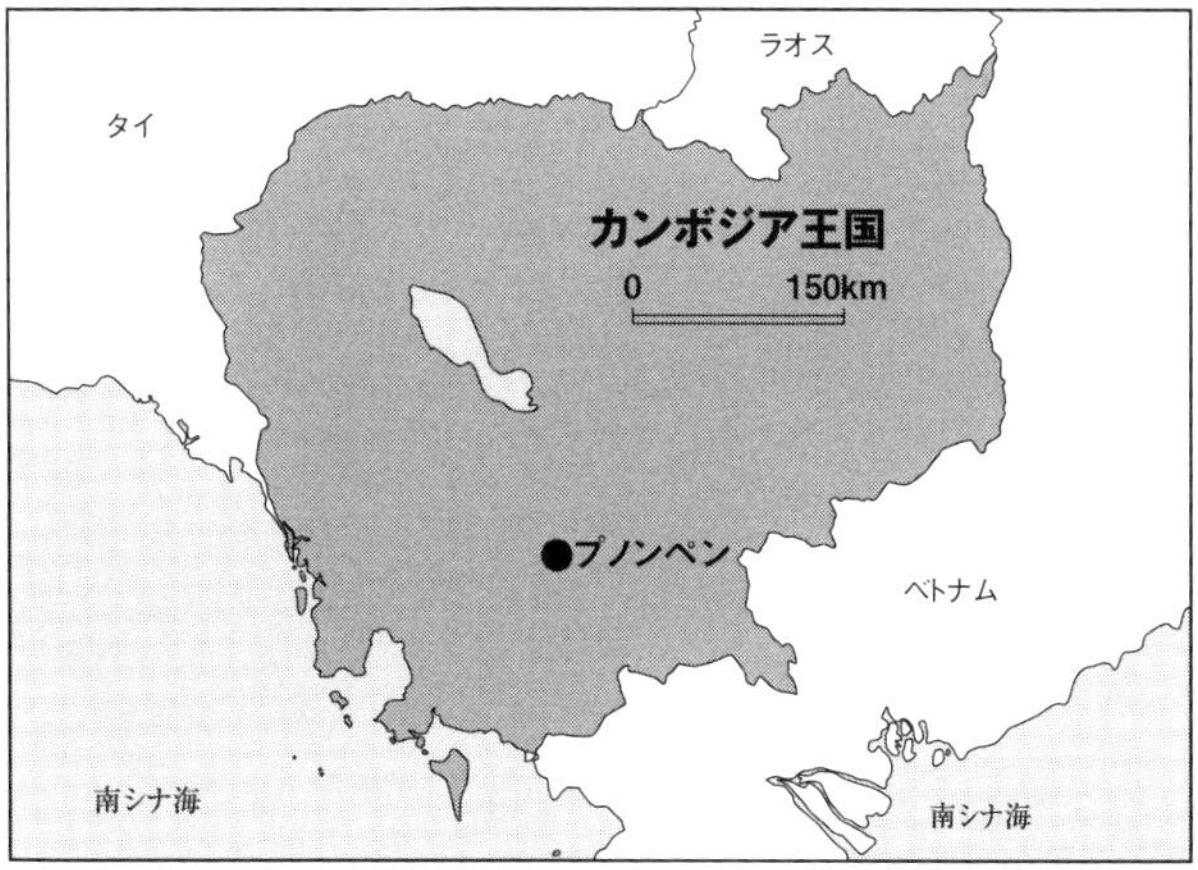

## 「9・11」後の世界

フィリピンから帰国したぼくは、次の海外での仕事を探《さが》しながら日本で過ごしていた。そんな二〇〇一年のある夜、始まったニュース番組は突然《とつぜん》米国ニューヨークからの実況中継《じっきょうちゅうけい》だった。画面には二棟《むね》の高層《こうそう》ビルが映《うつ》され、そのひとつが黒煙《こくえん》を上げていた。そこへ旅客機の影《かげ》が画面右上に現れると、もうひとつのビルにのみこまれ、そこに大きなオレンジ色の火の玉が生まれた。百戦錬磨《ひゃくせんれんま》のニュースキャスターも混乱する事態だった。一時間を過ぎたころ、ふたつの高層ビルは崩《くず》れ落ちた。アメリカ同時多発テロと呼ばれる出来事だった。

二〇世紀の終わりに東西冷戦が終焉《しゅうえん》を迎えたとき、世界はこれから平和に向かっていくと多くの人が期待した。でもその直後からタガが外れたように巻き起こった多くの地域紛争《ふんそう》によって、期待はすぐに不安に替わっていった。そして二一世紀が始まってすぐに起こったアメリカ同時多発テロは、わずかに残る平和への楽観を完全に打ち砕いた。「世界は変わった」「前にはもう戻《もど》れない……」。そんな言説が多く流れた。いろんなことが混沌《こんとん》として、灰色《はいいろ》で、不確かだった。

それからしばらくして、カンボジアで実施《じっし》されていた理数科教育質改善《かいぜん》プロジェクトに、ぼくは派遣《はけん》された。すでに数年前から始まっていたそのプロジェクトは、首都プノンペンにある教員養成校の質向上を目指していた。つまり、これから先生になる学生たちを教える「先生の先生」の能力を向上させるのがぼくの仕事だった。プロジェクトでは、教員養成校の教官（以下、トレーナー）の訓練の一環《いっかん》として、現職の教員への研修が開かれていた。トレーナーの訓練をしながら、現職の先生たちの再学習の機会も提供するという、一石二鳥をねらっていたんだ。

着任後すぐに、海辺の町カンポットで実施されたそんな現職教員研修に、ぼくは送りこまれた。支援《しえん》の進捗《しんちょく》状況もまだよくわからないまま、トレーナーたちによって一週間ほどのその研修は進んでいった。

研修の何日目だったか、研修参加者である現職

強い西日を避けて生徒たちのいこいのとき。カンポット教員養成校の放課後に

理科教員の科目の理解度を確認《かくにん》するための筆記試験が行われた。試験監督《かんとく》として、ぼくは会場の後ろの方に座《すわ》っていた。そこはカンボジアの町中にある古い学校の、年季の入った木造ホールだった。床はたわんで歩くとミシミシと音が鳴ったし、高い天井《てんじょう》から垂《た》れ下がる古い扇風機《せんぷうき》たちはキコキコとどこか懐かしさを感じさせる鈍い金属音を立てて回っていた。紙をめくる音と、ペンが走る音がする静かな講堂の窓からは、小さな路地が見下ろせた。日差しは厳《きび》しく、古い二階建て瓦《かわら》ぶきの、わずかに黄色がかった白に塗られた家々に囲まれ、路地を歩く人はまばらだった。

突然、ブヒーッブヒーッという大きな鳴き声がその路地に響《ひび》き渡《わた》った。見ると、縄《なわ》で縛《しば》られた薄ピンク色した大きな豚《ぶた》を男の人がふたりで抱《かか》えて、小さなバイクの荷台にくくりつけようとしていた。何度か豚を地面に置き直してはバランスを取って持ち上げようとするのだけれど、豚が身をよじるので、ふたりは大いに苦戦していた。そしてその間、豚は叫《さけ》び続けた。強く、強く、もっと強く。しかし教室内の先生たちにとっては、豚の鳴き声など日常の音のひとつに過ぎないのだろう。気にすることもなく、彼らは試験に取り組んでいた。

ふと、「世界は変わってなどいない」と思った。米国でのテロ事件の有無にかかわりなく、ここには日々の生活が続いている。そもそもテロは、あるいはテロとは呼ばれない正規軍の殺戮行為《さつりくこうい》も、9・11以前からずっとあり続けた。米国以外の多くの国々でも、9・11以上に多数の市民が命を落としてきた。それは悲しく、止めるべきことだ。でもぼくたちは止められずにきた。今日も誰《だれ》かが死に、生まれる。世界は変わらずどっしりとその日も存在《そんざい》し、地球は人間の営みのあれこれには無頓着《むとんちゃく》に自転し、公転していた。

豚の鳴き声が止まった。ようやく豚を乗せたバイクは、よたよたと路地を走り出ていった。そんなふうにカンボジアでの日々が始まったんだ。

## 自分には見えないもの

教員養成校の理数科教育の質を上げるというプロジェクトの中で、生物教官を対象に農業実習を実施したことがある。農業技術普及《ふきゅう》を行っているNPOにも手伝ってもらい、プノンペン郊外《こうがい》の農業省の耕地を借り、週に一度早朝に集まりバスに乗って半日の実習に出かけた。

多くの教官にとって、それは初めての体験学習だった。彼らはメンデルの法則は知っていても、エンドウマメの花を見たことはなかった。観察を目的に植物を育てるのも初めてだ。そんな彼らが教科書を覚えて得た知識は、〝例外〟を認《みと》める柔軟性《じゅうなんせい》に欠けることが多かったし、自分の目で観察した者の持つ自信が足りなかった。そんな彼らに農業実習はうってつけのプログラムだった。なにより野外で植物や昆虫《こんちゅう》を見て触《さわ》って学習する楽しさを彼らに知ってほしかった。

ある日の実習では、栽培《さいばい》している野菜に集まってくる生き物を採集し、それをスケッチした。教官たちは子どものような歓声《かんせい》を上げながら、手作りの集虫管を使って小さな生き物を集めてきた。それをアルコールで麻痺《まひ》させ、虫眼鏡を使いながらスケッチした。

彼らの作業を見て回っていると、ある教官のスケッチに目が止まった。彼は捕《つか》まえた小さなクモを模写《もしゃ》していた。よく見ると彼の画にあるクモは三対の脚しか持っていない。しかし、彼の目の前にあるクモをよく見れば、たしかに四対の脚がある。つまり彼はそのクモを昆虫と認識《にんしき》し、昆虫は三対の脚を持っているという知識にしたがってその画を描いていた。彼の知識が強い先入観となって、ありのままに見ること、観察することを邪魔《じゃま》していた。

クモの脚を三対としてしまうようなことは、どこでも誰にでも起こり得る。真摯《しんし》に見ることにも訓練が必要で、だから植物の観察日記のような学習が、多くの国で初等教育から理科カリキュラムに取りこまれている。

ぼくたちは、同じ物、同じ景色を前にしても、それぞれの経験や知識によって見えるものが違《ちが》う。たとえば、ある生物学者とプノンペン市内の市場に行ったとき、ぼくには見えなかったネズミを彼は何匹も見つけた。ぼくの視野にも入っていたはずなのに、ぼくにはそれが見えず、彼に指摘されて、天井の梁《はり》を走る回るネズミの姿《すがた》にようやく気がついたんだ。

教員養成校に作られた小さな農園でも、理科の植物観察実習が始まった

同じことは、カンボジアの社会や人々を観察するときにも起こっているはずだった。先入観をゼロにすることは不可能だ。だからこそ自分の五感を通じて認識することには、自分自身という強い〝偏向器《バイアス》〟が働いていることを知るのは大事だと思う。

農業実習は、その後も教員養成校の敷地《しきち》内に小さな農園を作って続けられ、学生への授業の中にこの実習で経験した活動を取り入れる教官も現れた。他者に教えることが、最も高い学習効果をあげることはよく知られている。つまり学んだことを自分以外の誰かに教えることで、その内容をしっかりと自分のものにすることができる。教員養成校で教える内容に彼ら自身で実習を取り入れたことは、ぼくにとって大きな成果だった。しかし数年後、新校舎増築の際に、小さな農園は取り壊《こわ》されてしまった。その後コンクリートで覆《おお》われたキャンパスには、農園を作る場所がない。継続《けいぞく》はいつもむずかしい。

## いつかは去っていく援助者

　カンボジア教育省の高官マック氏（仮名）は、ぼくが関わる援助プログラムのカンボジア側責任者だった。齢《よわい》は四〇代後半、細い身体にいつもきっちりとしたスーツを着こみ、かなり禿《は》げ上がった頭頂部、たまに浮《う》かべる笑みにも銀縁《ぎんぶち》眼鏡の奥の目はいつも鋭《するど》く光っている、歴戦の闘士《とうし》を思わせる紳士《しんし》だった。

　プノンペン市内の独立記念塔《きねんとう》のすぐわきに立つ古い小ぢんまりとした二階建て木造家屋に入り、歩くとギシギシと音を立てるせまい回り階段《かいだん》を登ってすぐ右手に、彼の小さなオフィスがあった。ドアの対面の壁《かべ》にある大きな窓から明かりが差しこむ気持ちのいい部屋で、窓の前に彼が仕事をする大きな机《つくえ》がひとつあり、加えて来訪者《らいほうしゃ》との会議用の机と椅子《いす》がせまい部屋の真ん中に置かれていた。さらに部屋の隅《すみ》には、大手援助団体から寄贈《きぞう》された大きなパソコンもあったけれど、いつもビニールのカバーがかぶさっていて、あまり使われている様子はなかった。

　ドアを開けた左右の壁には書類がぎっしり詰《つ》まった本棚があり、入り切らない書類が床にもいくつか積まれている。といっても、それらはいつもきちんと整理されている様子で、机の上もこざっぱりと片づいていた。それがマック氏の几帳面《きちょうめん》な性格を表しているようだった。

　英語が堪能《たんのう》で仕事もできる彼のところには、開発銀行や国連関係、欧州《おうしゅう》連合といった大口の援助機関から、個人で運営しているような小さなＮＰＯまで、教育関係の援助関係者がいつも出入りしていた。その証拠《しょうこ》に、ドアのわきの壁にかけられた大きめのホワイトボードには、彼が管轄《かんかつ》する援助プログラムの予定がぎっしり書きこまれていた。彼の事務所を訪《たず》ねる来訪者は、そのホワイトボードにそれぞれのプロジェクトの予定が書きこまれているのを確認して、ホッと胸をなでおろすんだ。もしもそこに予定が書きこまれていないのならば、なんとか書きこんでもらえるように、マック氏を納得《なっとく》させる必要があった。

　とくに大事なのは、教員研修の日程だった。多くの援助団体が研修を実施していたため、油断しているとそれぞれのスケジュールが重なってしまう。マック氏と一緒《いっしょ》にカレンダーを眺めながら、空いている日程を抑《おさ》えるのが、援助関係者の大事な仕事だった。一度予定が決まっても油断はできない。教育大臣の一声で、突然に大きなプログラムが入ることもある。ぼくが関わる教育研修も日程変更《へんこう》をしなければいけないことが何度もあった。それだけに、ぼくたちはいつもそのホワイトボードの予定に目を光らせていた。

ある日曜日の午前中、週末にもかかわらず、マック氏の事務室に数名の援助関係者が集まっていた。平日では足りずみな休日出勤《しゅっきん》だ。何を議論《ぎろん》していたのかは覚えていないけれど、なかなか先に進まぬ会議の最中にマック氏がいい放った。

「あなたたちは、仕事が終われば、飛行場から飛行機に乗ってブーンと去って行く」

マック氏は「ブーン」という自分の言葉に合わせて、離陸《りりく》する飛行機に似せて机に置いていた右の手の平を右上高く斜《なな》めにぐうっと持ち上げた。

彼の銀縁眼鏡の奥の小さな眼が、じろりと会議参加者を見渡《みわた》した。禿げ上がった頭頂部が、天井の蛍光灯の光を反射《はんしゃ》してぎらりんと光る。

「その後も、ずっとここに残って仕事をしなければならない私《わたし》の気持ちが、あなたたちにわかりますか」

マック氏はある大学院に招聘《しょうへい》され三か月ほど日本に滞在《たいざい》したことがある。マック氏の知り合いの日本人が、そのときに激励《げきれい》をかねてマック氏を食事に誘《さそ》った。

街道のわきで積み上げ売られていた、カンボジアでおなじみの果物スイカ

「何が食べたい?」と尋《たず》ねる知人に、マック氏は「スイカが食べたい」と応じた。季節は冬。スイカが手に入るはずもない。

日本の丸く大きなスイカと比べてカンボジアのスイカは小ぶりで、円柱の両端《りょうたん》を丸めたちょっとずんぐりしたラグビー型をしている。町中でも、郊外でも、道端《みちばた》に小山のようにスイカを積んで売っているのをよく見かける。食堂で食べ終わって会計を頼むと、切ったスイカが提供されることも多い。みずみずしくてしかも安価なスイカは、南国カンボジアの人たちにとってもっとも馴染《なじみ》み深い果物だ。

おそらく日本での三か月は、マック氏にとってはカンボジアでは得られない静かな日々だっただろう。誰も自分を知らない部屋で資料を読み、まだ使い慣れていなかっただろうパソコンに向かう。多忙《たぼう》なカンボジアでの日々から離《はな》れ、ひとりの個人として過ごした貴重《きちょう》な時間だったはずだ。

一方、カンボジアでは多くの部下に囲まれ訪問者も絶えなかったマック氏にとって、その三か月は孤独《こどく》な日々でもあったに違いない。彼が寒さ厳しい冬の日本で、祖国で食べ慣れたスイカを恋《こい》しがった気持ちもわかる気がする。

高官マック氏の意外な言葉に、部屋は静まり返った。その静寂《せいじゃく》に緊張感《きんちょうかん》を高めながら、しかしぼくはぞくぞくするような楽しさを感じていた。いやぁ本音っていいねぇ、わかるよぉとマック氏に声をかけたいぐらいだった。そう、彼のいう通り、契約《けいやく》の任期が終わればぼくたち援助者はカンボジアを去る。でも、こっちも腰《こし》かけで、いい加減な仕事をしているわけじゃないんだぜ。

静寂は一瞬《いっしゅん》で、せまい部屋に小さな笑いがさざめくように起こった。マック氏の隣《となり》に座っていた世界銀行から派遣されているベテランの教育専《せん》門家《もんか》(イギリス人だった)が、「まぁまぁ」というようにマック氏の肩に優《やさ》しく手をあてた。その場にいるみながふんどしを締め直したような気がして、それが何か清々《すがすが》しい瞬間にぼくには思えた。

### 友だちか、ビジネスパートナーか

青胡椒《こしょう》、つまり熟《じゅく》す前の生の緑色の胡椒をカンボジアで初めて食べた。胡椒の木からもいでかじれば、乾燥《かんそう》させた胡椒とはまた違った、少し湿気を含《ふく》んだ濃い鮮烈《せんれつ》な辛味《からみ》だ。炒《いた》めると辛味が和らぎ、ぐっと食べやすくなる。カンボジアでの胡椒の産地が海沿いにあるせいもあるのだろう、青胡椒と一緒に炒めるもっとも一般的な食材がイカだ。イカの青胡椒炒めとあなたが初めて出会えば、皿いっぱいの青胡椒にたじろぐだろうけれど、ぷりぷりしたイカの甘味《あまみ》と青胡椒の柔らかい辛味がうまい具合に調和するのにすぐ気がつくだろう。ご飯にもあう。

カンボジアの胡椒は一三世紀、遺跡《いせき》で有名なアンコールトムが建設された時代には、すでに栽培されていた記録がある。興味を持ってその歴史を調べたときに出会ったのが、これから紹介《しょうかい》するエピソードだ。

イカの青胡椒炒め。青胡椒は房のまま料理に使う。ぼく自身が調理したもの

「あの人は私の家でご飯を一緒に食べたことがない。水だって、自分で持ってきたものだけを飲む。トイレさえ、ここではけして使わない。友だちなら、飯を一緒に食べたり、お茶やビールを一緒に飲んだりするものだろう」

ある胡椒農園で胡椒を栽培するカンボジアの人たちをまとめる頭領の言葉だ。〝あの人〟とはこの頭領に胡椒栽培を委託《いたく》している日本人、Bさんのこと。そのBさんの言葉も紹介しよう。

「私は頭領を友だちとは思ってません。ビジネスパートナーではあるけれど」

「地方に出張に行ったら、食事は衛生的なレストランでしか摂《と》らないようにしています。お腹《なか》を壊したら仕事にならないですから。それに仕事のスタッフとは仲良くなりすぎないようにしています。食事を一緒にすると、カンボジアの人はどう

コンポントムの町中にある小学校、休み時間のひととき

しても関係が緩《ゆる》むんです。なぁなぁにならないように、いつも気をつけています」

「私は頭領に畑をやってもらっている対価を払《はら》っている。頭領に払わないと、会社の経費で落ちないわけですし。給与《きゅうよ》として払わないと、会社の経費では、私と頭領は対等ではない」

ではBさんが頭領に雇《やと》い主として接しているかといえば、そんなことはない。あくまで友好的に、農場への投資もビジネス一辺倒《いっぺんとう》ではなく、頭領を始めとする地域への支援という形態もとる。もちろん胡椒の質に関しては厳しいことも伝えることがあるけれど、頭領の方からBさんに文句をつけることもある。

ふたりの関係を整理すれば、頭領にとってBさんは、〝友だち〟というよりは、やはり事業委託《いたく》者なのが実情に近い。それでも頭領はBさんと対等でいたいのだ。それが頭領の矜持《きょうじ》、プライドであり、またBさんは上下関係をあからさまにする必要を回避《かいひ》することで、頭領との円滑《えんかつ》な関係を維持《いじ》しようとしている。それがふたりで時間をかけて作り上げてきたバランスなのだ。そこには第三者がイメージする手に手を携《たずさ》えてという協力関係とは違った、それぞれの必死さがある。

ふたりの関係を見ていると、カンボジアでビジネスをする異邦人《いほうじん》と、異邦人と付き合いながら生活を築いていく土地の人との、微妙《びみょう》なやりとりの機微《きび》を感じる。それはとても個人的で、ケースバイケースで、柔軟で、ときには不安定で揺《ゆ》れ動く。その揺れに怯《おび》えていては、ものごとは継続しない。また規則を決めてその通りにスパッと切れ味鋭く判断するようなやり方では、ひとつのボタンの掛け違いですべてがチャラになってしまうようなことも起こりかねない。自分たちなりのやり方で、不安定な境界を粘《ねば》り強く行きつつ戻りつつ乗り越《こ》えていくしかない。頭領とBさんはそうしてきたし、これからもそうしていくはずだ。

## ヒト免疫《めんえき》不全ウイルス

その女性が、自分がヒト免疫不全ウイルス（以下、ＨＩＶ）に感染《かんせん》したのを知ったのは、妊娠《にんしん》に気がついて検査を受けたときだった。

「自分が陽性だと知ったときには、病院を出てからひとりでたくさん泣いた。そして、涙《なみだ》が乾《かわ》くのを待って帰宅した。夫以外の家族の誰にも自分の感染を伝えられなかった。夫にもようやくの思いで検査を受けるように頼んだ」

夫は、やはりＨＩＶに感染していた。彼は買春によって感染し、自分の妻にＨＩＶをもたらしたんだ。

医師と相談のうえ彼女は出産することにした。帝王切開《ていおうせっかい》で感染リスクを減らしたことも幸いしたのか、生まれた子どもの血液検査は陰性《いんせい》だった。

「赤ちゃんが陰性で、本当にうれしかった」と彼女はため息をついた。感染を恐《おそ》れて子どもには母乳《ぼにゅう》は一切与《あた》えなかった。パンパンに張った胸を絞《しぼ》って出した母乳は、すべて下水に流した。

彼女とは教員研修で出会った。控《ひか》えめながらときどき的確な質問をする人だった。ある日、翌日《よくじつ》の午前中に休みがほしいという。理由を聞いてみると、まっすぐこちらを見て「私は社会的な病気（social disease）なのだ」といった。ぼくは最初その意味がわからなくて聞き直した。そして彼女の病気がＨＩＶであることを知った。その後も何回か教員研修で出会い、彼女の模擬《もぎ》授業の授業案も指導した。

出産後も血液検査を定期的に受けた。チェックするのは、ＣＤ４陽性リンパ球（白血球の一種）の血中の数だ。ＨＩＶが静かに増殖《ぞうしょく》を続けると、ＣＤ４陽性リンパ球が少しずつ破壊《はかい》され、免疫力が徐々に低下していく。潜伏《せんぷく》期間は感染者によって多様で、数年で発症するケースもあれば、一五年以上たっても発症に至《いた》らない事例もある。

一九八三年にＨＩＶが初めて確認されたころ

は、感染後に後天性免疫不全症候群《しょうこうぐん》（エイズ）と呼ばれる発症《はっしょう》状態にいたれば、あとは衰弱《すいじゃく》して死を待つしかなかった。そのため不治の病と社会に広く認識され、また同性愛者間での感染が広く知られるようになったため、ＨＩＶ感染者への偏見《へんけん》は世界のどこでも強かった。

彼女がＨＩＶに感染したときには、すでに抗《こう》ＨＩＶ薬が開発されていたけれども、まだ副作用が強かった。そのため、感染が確認されてもすぐに投薬は始まらず、ＣＤ４陽性リンパ球数がある基準値《きじゅんち》より減ってから、投薬治療《ちりょう》が開始されるのが普通だった。やがて感染が早かったと思われる夫の血液のリンパ球数が、治療を始める閾値《いきち》を下回った。感染後も買春をやめようとしなかった夫の治療が始まったとき、彼女はすでに夫とは別居していた。

夫に遅《おく》れること数年して、彼女のリンパ球数も確実に減少し続け、投薬が始まることになった。ＨＩＶ感染者への投薬は、世界保健機構の指導によって、政府の医療《いりょう》機関でほぼ無料で提供されていた。

投薬治療の始まった彼女には、気になることがあった。薬をもらうために定期的に平日の半日、休みを取らなければならないことだ。彼女が働く学校では、定期的に休みを取る彼女が「ＨＩＶに感染している」という噂《うわさ》も立ちはじめていた。彼女がぼくの関わる教員研修に参加したのは、ちょうどそのころだったんだ。

あるとき、彼女は医療機関のスタッフに平日に出向いてくることの不便さを訴《うった》えたことがあった。週末に医療機関が開いていれば、どれだけ気楽に治療を受けることができるかを伝えてみたのだ。しかしスタッフの対応は冷たかった。

「まるで私たち感染者が、施《ほどこ》しで治療を受けさせてもらっているみたいな態度なんだよ。それにＨＩＶに感染したのは、感染した本人が悪いみたいに思っている」。彼女は心から憤慨《ふんがい》していて「もう治療は受けたくない」とまでいった。無料の政府の治療機関から、有料でも週末の治療が可能な民間の医療機関に移ることも考えているという。

ぼくはだまってうなずくしかなかった。

そのころカンボジアでのＨＩＶ感染率は四％に達する数字が報告されていた（感染率という

のはあいまいな言葉で、有病率〈Prevalence〉と罹患率《りかんりつ》〈Incidence〉のふたつが混同されて使われていることがある。それぞれ簡単《かんたん》には計測できるものではないけれど、専門的な知見による計算方法により推定《すいてい》できるとされている。有病率とは、ある時点で母集団の中にどれぐらい感染者がいるかを示し、罹患率はある集団を一定期間追いかけてどれくらい感染者が発生するかを示している。カンボジアの場合、治療により発病を抑えこむことで有病率は横ばいとなり、罹患率は確実に下がった）。

アンコールワット遺跡にて。若い人たちが集団で祈りを捧げにきていた

　単純に考えれば、二五人いればひとりが感染していることになる。ぼくが関わる教員研修には一〇〇人を超える参加者が常にあったので、当然その中に感染者がいても不思議はない。

　彼女の他にもＨＩＶに感染した教員を知っている。日本での研修に参加するメンバーに選ばれた彼は、自分がＨＩＶであることを理由に研修生リストから外されることを心配して、ぼくに打ち明けてくれた。悲しいことに国によってはＨＩＶ感染者の入国を禁止しているところもあったんだ。日本への入国は可能なことを伝え、研修中もちゃんと投薬を続けるように彼に伝えた。

　その後、ＨＩＶに対する治療薬は短期間で進歩し、副作用も軽くなった。現在ではＨＩＶの増殖を抑えることができるようになっている。ＨＩＶ感染はコントロール可能な慢性疾患のひとつと考えられるようになった。彼女も彼も、今も投薬は続けているし、元気だ。

ただ、カンボジアでのＨＩＶに対する偏見は依然《いぜん》として強く、そのことで今でも多くの患者やその家族が嫌《いや》な思いをしている。一度始めた治療を、偏見などによって続けにくくなる事例もあると聞いた。

病気に対する恐怖《きょうふ》は素朴《そぼく》な感情だと思う。日本でもけして昔話ではない。水俣病《みなまたびょう》などの公害病でも多くの偏見差別があったし、ハンセン病患者が必要のない避妊《ひにん》手術を強要されていたことも話題になった。ＨＩＶが慢性疾患になったといっても、日本でも新たに感染する可能性はあるし、感染者への差別蔑視《べっし》は根深く存在している。だからね、これはあなたの問題でもあるんだよ。

## 虐殺《ぎゃくさつ》犯罪博物館

カンボジアでは、一九七五年四月から始まったポルポトをリーダーとする政府が統治した四年弱の間に、多くの人たちが集団キャンプでの生活と長時間労働を強制された。そして、全人口の四分の一あるいは三分の一ともいう、二〇〇万前後の国民が生命《いのち》を落とした。言論《げんろん》や移動の自由といった民主的権利《けんり》、貨幣経済《かへいけいざい》、近代医療と技術、都市生活、歌謡《かよう》を含む大衆娯楽《たいしゅうごらく》、学校教育や宗教《しゅうきょう》を完全否定《ひてい》する、極めて特異でむちゃくちゃな政治の結果だった。

なぜポルポト政府が多くの人々を死に至らしめるような政策《せいさく》を実行したのかを説明しはじめると、本一冊の分量が必要になってしまう。背景はどうあれ、想像力の欠如したリーダーたちによる、自国民の幸福には無関心な机上《きじょう》の〝愛国主義〟的空論と、そのリーダーたち自身の空虚《くうきょ》に肥大化した自尊心《じそんしん》――自らの英雄化《えいゆうか》――の裏返しである猜《さい》疑心《ぎしん》とが、人類史に特筆される残酷《ざんこく》無残な結果をカンボジアにもたらしたんだ。

ポルポト政権《せいけん》は極端《きょくたん》な鎖国《さこく》政策を取ったため、虐殺の真相解明も遅れた。一九七九年一月にベトナム軍に支援された反ポルポト勢力（この反ポルポト勢力も、元はポルポト派の一部で、政権内の粛清《しゅくせい》を恐れベトナムに逃げたグループが中心だった）が、プノンペンからポルポト勢力を追い出し、ポルポト時代を終わらせた。けれど、ベトナムの勢力拡大を警戒《けいかい》する中国やタイはポルポトを助けた。その結果、ポルポトたちはその後もカンボジア・タイ国境付近で勢力を保ち、内戦は一九九八年まで続いた。内戦終了後、ポルポト派指導者を対象とした特別法廷《ほうてい》が設置されたけれど（この特別法廷には日本政府からも五〇億円を超える運営費が支援されている）、ポルポトをはじめとする多くの関係者がすでに死亡し、もはや真相解明はむずかしい状況だ。

カンボジアの学校では、校庭におやつを売る小さな店をよく見かける。休み時間になると、お腹をすかせた子どもたちが集まってくる

ポルポト時代やその後の内戦によって、多くのカンボジアの人たちが難民《なんみん》となった。その中には、日本に移民した人たちも少なくない。たとえばぼくの知人であるボンナレットさんという女性は、ポルポト時代に両親ときょうだい四人を失っている。生き残った彼女は、ポルポト時代が終わってから、当時日本に留学していて無事だった姉を頼って日本に移民した。そのときすでに一六歳《さい》だった彼女は、日本で改めて小学校に通って、それまでまったく知らなかった日本語を学んだんだ（久郷ボンナレット著『19歳の小学生：学校にいけてよかった』メディアアイランド、二〇一五、に詳《くわ》しい）。

また、カンボジアに関わってきた日本人も多い。ポルポト時代が始まる前には、一〇人もの日本人ジャーナリストがカンボジアでの取材中に命を落とした。さらにポルポト時代後、一九九三年に初めて実施された総選挙の支援に日本から参加した多くの人たちのうち、二人が活動中にポルポト派による銃撃で亡くなっている。現在でも、ＯＤＡやＮＰＯで支援を行う日本人は、おそらく東南アジアの中ではカンボジアが一番多いだろう。

初めてカンボジアを訪問したのは、一九九六年六月か七月の雨季のころだ。理科教育の啓発《けいはつ》セミナーが教育省で開かれ、ぼくはその講師の一人として一〇日間ほどプノンペンに滞在した。

ぼくにはチョムランという名のカンボジアの友人がいる。チョムランはぼくと同世代で、一九九三年に義足技師として日本での一年間の実技研修に参加していた。その時にたまたま知り合った彼と、彼が帰国後も手紙のやり取りをしていた。そしてこのプノンペン滞在時に、数年ぶりの再会となった。

短い滞在中の週末、チョムランがプノンペンを案内してくれた。そのときにトゥースレン虐殺犯罪博物館と呼ばれるポルポト時代の政治犯収容所跡《あと》を訪ねた。ポルポト時代が終わってすでに一六年が経っていた。

ポルポト時代以前には高校だった虐殺犯罪博物館のことは、ポルポト時代後に記されたカンボジア関連の多くの本に載《の》っていた。だから、そこに収容された二万人ともいわれる人たちのうちわずか数人を除いた全員が虐殺されたことを、ぼくはすでに知っていた。展示《てんじ》された鉄製ベッドと鉄製の無骨《ぶこつ》な足かせ、床に広がる血痕《けっこん》、ひとりひとり撮《と》られた囚人《しゅうじん》たちのポートレートがぎっしり貼られたボードなどは、どれも本のなかの写真で見たものだった。

しかし、その場の迫力《はくりょく》は本で見たものとは大違いだった。写真撮影《さつえい》後に殺されることになる囚人たちの顔が何百も並《なら》ぶ部屋は、息詰《いきつ》まる空間を作り出していた。予想を上回る凄《すご》みがそこにはあった。ところどころで解説をしてくれるチョムランの口数も少なく、ふたりは汗《あせ》をかきつつ静かに博物館をまわった。

虐殺はカンボジアだけのできごとではない。ついつい押《お》し黙《だま》る雰囲気《ふんいき》を変えたい気持もあり、ぼくは日本軍による日中戦争や太平洋戦争での虐殺についてチョムランに語った。それを聞いた彼はいった。

「でも、カンボジアでは同じ民族同士で虐殺が起こった。カンボジア人が同じカンボジア人を殺したんだ」

ぼくは言葉に詰まった。チョムランが口にしたことは、何かがおかしい、変だ。胸の中ではそんな思いが渦《うず》をまいていたけれど、何が変なのかすぐにはうまく言葉にならない。チョムランとそれ以上虐殺の話を続けることはできなかった。

途上国での支援を続けながら、あの日チョムランの言葉に感じた違和感《いわかん》をぼくは忘《わす》れることができなかった。チョムランの言葉をそのまま受け取れば、違う〝民族〟間で、たとえば〝日本人〟が〝中国人〟を虐殺するほうが、同じ〝民族〟同士、たとえば〝カンボジア人〟同士が殺し合うよりまだましということになる。でも〝殺される側〟と〝殺す側〟という関係性を生む原因は多様だ。民族に限らず、宗教や主義の違いが虐殺を生み出してきた例はいくらでもある。どんな虐殺であれ、その原因は他所《よそ》から見れば、虚《むな》しくバカバカしいものでしかない。ことさら民族が違うとか同じとかで虐殺を区別して、まだましとかよりひどいと形容するのは無意味だろう。

さらに、チョムランの言葉には、「これはカンボジア人の問題なんだ」という意図があったようにぼくは感じた。同じ民族同士の虐殺を経験したカンボジア人の気持ちは、カンボジア人ではないお前にはわからないと宣言されたようで、ぼくは言葉に詰まったのだ。自分の前に高い壁が築かれ、それまで開いていたドアがバタンと閉じられたような気がした。

カンボジアの虐殺はカンボジアの人たちだけの問題ではないと、今なら迷うことなくチョムランに語りかけることができる。ポルポト時代の虐殺を「あれはカンボジアの問題なんだ」と口にしたとたん、そこには強固な境界が生じてしまう。しかし、世界史の中で虐殺は数多く起こってきた。虐殺は人類の問題だ。つまりぼく自身の問題と捉《とら》えることは、可能なんだ。もちろん、チョムランの側がドアを閉めてもいい。そんな気持ちになってもいい。でも、こちらから再度ドアをノックすることはできる。チョムランをそっとしておきつつ、他のドアを開ける手もある。カンボジアの虐殺はカンボジアの人たちの問題だし、ぼくの問題でもある。どう考えるかは、ぼく次第なんだ。

「これはあなたの問題ではなく、私たちの問題なのだ」といわれたかのようなチョムランとのやり取りを乗り越えていく体験は、その後に出会うことになる多くの境界を低くする心持ちを、ぼくにもたらしてくれることになった。

## 地球科学担当《たんとう》の若手《わかて》教官たちの奮闘《ふんとう》

プノンペンでの仕事を始めてからしばらくして、教員養成校の地球科学の授業を見る機会があった。翌年から教壇《きょうだん》に立つ学生を相手に、若い教官が岩石の火成岩《かせいがん》について教えていた。白黒の教科書に花崗岩《かこうがん》や玄武岩《げんぶがん》といった火成岩の写真が載っているけれど、印刷が荒《あら》くて小さな写真からは、それぞれの岩石の特徴《とくちょう》はわからない。聞いてみると、教えている教官も、もちろん学生も、それらの岩石を手にとったこともなければ見たこともないという。

地球科学はカンボジアでは導入されたばかりの新しい教科だった。日本の科目ならば、中学の第二分野や高校の地学に似ている。地球科学は、地球内部（岩石や地震《じしん》）、地球表面（水や炭素の循環《じゅんかん》、気象、海流など）、地球外（太陽系《けい》を含む宇宙《うちゅう》）の自然現象と、さらに環境《かんきょう》教育分野も含むとても幅広い科目だ。その扱いにくい科目を、大学で地理や生物を勉強してきた学生が、教員養成校で一年間の促成《そくせい》で知識を身につけ、学校現場で教えなければならなかった。しかも岩石の例のように、使える教材もほとんどない。そんなところから地球科学の教官たちとの勉強会は始まった。

教員養成校では若い四人の教官、マカラ、ソティ、カニタ、プティが地球科学を担当していた。全員が、カンボジア唯一のエリート大学であるプノンペン大学の生物学科や地理学科を卒業後に教員養成校に入り、一年間だけ地球科学を学んだ後、すぐに教員養成校の教官となって一〜二年の教官だった。正直にいって、彼女らの地球科学に関する知識や経験は指導者としては不十分だった。彼女たちがやっていた授業は、たんに教科書の内容をなぞるだけで、その教科書にも不明確な記述が少なくなかった。たとえば当時のカンボジアの地球科学の教科書には、飛行機からヨウ化銀を散布することで人工降雨雪《こううせつ》が可能になったという記述があった。しかし実際にはその効果は限定的で、自由に天候をコントロールできるわけではない。しかし教官のひとりは教科書の記述をそのまま鵜《う》呑《の》みにして、ある小さな国際会議で「天気はコントロールできる」と発言し、参加者の失笑を買った。なんとも悔《くや》しい出来事じゃないか。

ぼくも地球科学の専門家というわけではない。そこでまずは彼女たちと一緒に英語の教科書を読んで勉強するところから始めた。日本から地質や気象の専門家にも来てもらった。カンボジアのその分野の専門家の力も借りて、勉強は少しずつ進んだ。そんな過程で、カンボジアの地域性が浮かび上がってきた。

たとえば、太陽の見かけの日周運動だ。プノンペンは北緯《ほくい》一一度で、赤道と北回帰線の間に位置する。東から昇《のぼ》った太陽は、時季によって天頂の南側を通ったり北側を通ったりして、西に沈《しず》む。つまり昼頃に太陽によってできる影の向きが、北になったり南になったりするんだ。一方で北半球中緯度《いど》に位置する日本や欧米《おうべい》の教科書には、南天を通過する太陽の日周運動しか説明されていない。それでは一年中、影は北にしかできない。そして、カンボジアの教科書にはそんな欧米の教科書を翻訳《ほんやく》した内容しか書かれていなかった。カンボジアで見られる事象が書かれていない教科書と

上から、岩石調査、太陽の高度測定、太陽の見かけの動き調べ

いうのは、カンボジアの生徒たちにとって、さらには教える教師にとってもつまらないものだとぼくには思えた。

ではカンボジア特有の内容をどう取り入れればいいのか。とくにポルポト時代の影響《えいきょう》もあり、カンボジア国内の降水量《こうすいりょう》など気象観測データもごく限られていた。あるいはどこでどんな岩石が観察できるかという情報も手に入らない。本当に手探《てさぐ》りだったんだ。

探してみると、花崗岩、流紋岩《りゅうもんがん》、玄武岩といった火成岩や、砂岩《さがん》、石灰岩《せっかいがん》といった堆積岩《たいせきがん》が採取できるところがだんだんわかってきた。そこで週末には岩石採取の野外実習に出かけた。まず四人の教官と出かけて確認し、いい場所が見つかれば教員養成校の学生たちを連れていった。

夜に学生を集めるのは、安全面の問題で簡単ではなかった。それでも教官たちとはプノンペン郊外で天体観測も行った。ぼくが指さす天の川を彼女たちは、最初「雲ではないか」と訝《いぶか》った。カニタやプティは地方の出身で、子どものころに見上げた夜空には天の川もかかっていたはずだ。だけれど、彼女たちの記憶《きおく》には天の川は存在しなかった。夜空を、興味をもって見上げる経験がなかったんだ。それでも天体観測を何度も繰り返しているうちに、天の川は彼女たちにとって親しい存在になっていった。

四人相手の勉強会を頻繁《ひんぱん》に開いていたころ、国際天文学連合が惑星《わくせい》リストから冥王星《めいおうせい》を外し、太陽系の惑星数が九つから八つに〝減る〟という大ニュースも飛びこんできた。それも勉強の絶好の材料になった。冥王星が惑星から格下げになった〝準惑星 dwarf planet〟という単語を、どうカンボジア語に訳《やく》し説明するかというような基本的なところから、彼女たちが考えていかなければいけなかった。

そんな多くの苦労に直面しながらも、彼女たちは新しいことを学んだそばから教員養成や現職教員向けの研修、さらにはちょうど改訂中だった中等教育のカリキュラムの中にどんどん取りこんでいった。彼女たちが知識を身につけ、指導力をつけていくのを見ているのはとても楽しかった。何より彼女たちと勉強することを通して、どうやってカンボジアの理科の先生を応援《おうえん》すれば効果的なのかを、ぼく自身が学ぶことがたくさんあった。

若い四人の教官との語らいも楽しかった。出会った最初は四人とも独身だった。やがて姉さん格のマカラとソティが結婚《けっこん》した。それに対して、末っ子弟のプティはあるとき「人を好きになるという感情がよくわからない」といい出した。三女カニタも「デートで映画館なんかに行くのは、時間を無駄遣《むだづか》いしているみたいでもったいない」という。それに対して長女次女の既婚組《きこんぐみ》は「あなたたちはまだ子どもね」と余裕《よゆう》をみせた。そんなやり取りをあたたかく見守るというのが、ぼくの立ち位置だった。

彼女たちと出会ってから七年たったころ、カニタが突然死んだ。彼女は三〇歳になろうとしていた。マラリアという蚊《か》が媒介《ばいかい》する病気だった。ぼくもケニアで数回かかったことがある。幼い子どもなら危《あぶ》ない病気だけれど、きちんとした治療を受ければ大人がそう簡単に死ぬ病気じゃないはずだった。そもそもプノンペンにはマラリア蚊はいない。でもカニタは発病の一週間前に、ベトナム国境に近い森の中のマラリア蚊がいる地域に自分の修士論文の研究調査で出かけていたんだ。そして彼女は、高熱が出てから二日ほどで逝《い》ってしまった。

ゆっくりと積み上げてきたものが、目の前から突然いとも簡単に消える。悲しみよりも怒《いか》りのような感情が湧《わ》き上がってきて、でもその怒りをぶつける先もない。悔しくて悔しくて、彼女の荼毘《だび》を見送った後、自宅に帰ってひとりで泣いた。

途上国の応援をする仕事をしてきて、カニタの死ほど苦しいできごとはなかった。死んじゃ駄目《だめ》だって思うよ。本当にそう思う。

## 未来の希望

友人チョムランは一九九三年に日本に一年近く滞在し、義足技師になるための技術を身につけてカンボジアに帰国した。ところがそれからしばらくして、チョムランを日本に派遣したＮＰＯは、米国の資金提供組織が撤退して活動が続けられなくなり、解散してしまった。

義足技師として働いて収入《しゅうにゅう》を得る手段《しゅだん》がなくなってしまったチョムランは、ちょうどそのころ

自分たちで採集した岩石を標本にして、現職教員を指導するカニタ

結婚を控えていた。新しい家庭のためにも収入が必要だった彼は、得意の英語を活かして旅行代理店で働き始めた。そしてぼくたちが一九九六年にプノンペンで再会した数週間前に、彼らの最初の子ども——ジュンジュン——が誕生《たんじょう》していた。

数年ぶりの再会に、ぼくはお土産のベビー服を持って彼の自宅を訪《たず》ねた。中央市場に近いそのアパートは仏領植民地時代に建てられた古いもので、暗い階段を何階か上がった広くない一室が、彼の新居だった。裸《はだか》電球のともる部屋に置かれたベビーベッドのわきで、ぼく、チョムラン、そして彼のパートナーとなったロマニの三人で乾杯《かんぱい》した。

食後には山ほどのドリアンが出た。カンボジア産のドリアンで、ちょうど季節だった。ドリアンの濃厚《のうこう》で芳醇《ほうじゅん》な香りに包まれながら、ぼくたちはいろんなことを話した。そのなかには、生まれたばかりのジュンジュンを、数年経ったらフランスの親戚《しんせき》の元に送るという計画も含まれていた。

カンボジアがこの先どうなるか、まったくわからないと夫婦は考えていた。また内戦が始まらないとも限らない。加えてカンボジアの教育の質の低さも気になるという。外国語ができないと、まともな仕事にもつけない。幸い夫婦には、難民としてフランスに移住した親戚が何人かいた。小学校入学のころになったら、そのフランスの親戚にジュンジュンを預けて、フランス語で教育を受けさせたほうがいいとチョムランは思っていた。

チョムランが育った二〇世紀後半、カンボジアは激動《げきどう》の時代だった。隣国《りんごく》ベトナムで始まった米国との戦争は、カンボジアも巻きこんでいった。そしてチョムランが中学生だった一九七五年四月、ポルポトに率いられた反政府軍が首都プノンペンに攻《せ》めこみ、新しい国家の成立を宣言《せんげん》した。ようやく戦争が終わると新政権を歓迎《かんげい》したプノンペン市民は、予想に反して数日でプノンペンから農村へと追放された。強引で狂信的《きょうしんてき》な政策によって二〇〇万人が亡くなったといわれるポルポト時代の始まりだった。プノンペンで暮《く》らしていたチョムランにとって、強制移住によって母親たちと国道一号線を東に歩かされた記憶は鮮明だ。四年弱のポルポト時代、彼の家族も何人かが犠牲《ぎせい》になった。

過酷《かこく》な時代を生き延《の》びてプノンペンに戻ってきてから、チョムランは三つの生まれ年を持った。徴兵制《ちょうへいせい》を逃《のが》れる際には若くなり、仕事を得るときには実際より数歳高い年齢《ねんれい》を使う必要があったからだ。そうやって生きてきた彼にとって、ジュンジュンが生まれた一九九六年当時のカンボジアはまだ未来のない国だった。

チョムラン夫婦が心配していたとおり、それから一年後の一九九七年七月にカンボジアのふたりの首相（当時カンボジアは首相ふたり制を取っていた）の勢力争いが起き、二つに割《わ》れた政府軍同士による武力衝突《しょうとつ》がプノンペンで発生する。プノンペンの市街戦は幸い数日で収まったけれど、紛争はタイとの国境地帯へ舞台を移し、残存していたポルポト勢力も巻きこんでしばらく続いた。

この内戦で勝利したフンセン首相は、現在までその政権を維持している。一九九八年にはタイ国境での内戦も収束し、政治的な安定を得たフンセン政権の指導により、カンボジアは急速な勢いで復興し、高い経済成長を実現した。内戦終結時、交差点の信号や銀行の現金支払い機すらひとつもなかったプノンペンは、今では中層ビルが立ち並び、交通渋滞も起きる大きな都市となった。

二〇一九年、ジュンジュンは身長一八〇センチを超《こ》えるイケメンに育った。すでにプノンペン大学を卒業し、企業《きぎょう》に就職《しゅうしょく》している。そのジュンジュンが、国費留学生として九月にフランスに渡った。彼にとって初めての渡仏だ。彼は小学生の時から、いつ何があってもすぐにフランスに渡れるように、フランス語を勉強してきた。大学での専攻《せんこう》もフランス語だ。ついにそのフランス語を活かすときがやってきたんだ。それでも留学が終われば、彼は両親が待つプノンペンに戻るはずだ。ジュンジュンにとって、今のカンボジアには未来がある。

ドリアンを食べると、あのチョムランの部屋を思い出す。チョムラン一家はすでに別の場所に引越してしまったけれど、古いアパートはまだ中央市場の近くに建っている。

2019年、出会ったころよりもだいぶふくよかになったチョムラン（左）、パートナーのロマニ（右）、まん中がイケメンのジュンジュンだ（チョムラン提供）

# 第4章 ルワンダ

## ルワンダ共和国

面積　2.63万平方キロメートル（四国と同じぐらい）
人口　約1230万（2018世銀）
首都　キガリ
言語　ルワンダ語、英語、フランス語、スワヒリ語
略史
1890年　ドイツ保護領となる
1922年　ベルギーの植民地となる
1962年　ベルギーから独立
1994年　独立以来続いていた「民族問題」が激化し、大量虐殺が起こる
1994年　出身部族を示す身分証明書の廃止
1999年　国民和解委員会の設置
1人あたりGDP　780米ドル（2018世銀）
在留日本人数　134人（2017年）

データは日本国外務省のHPより抜粋

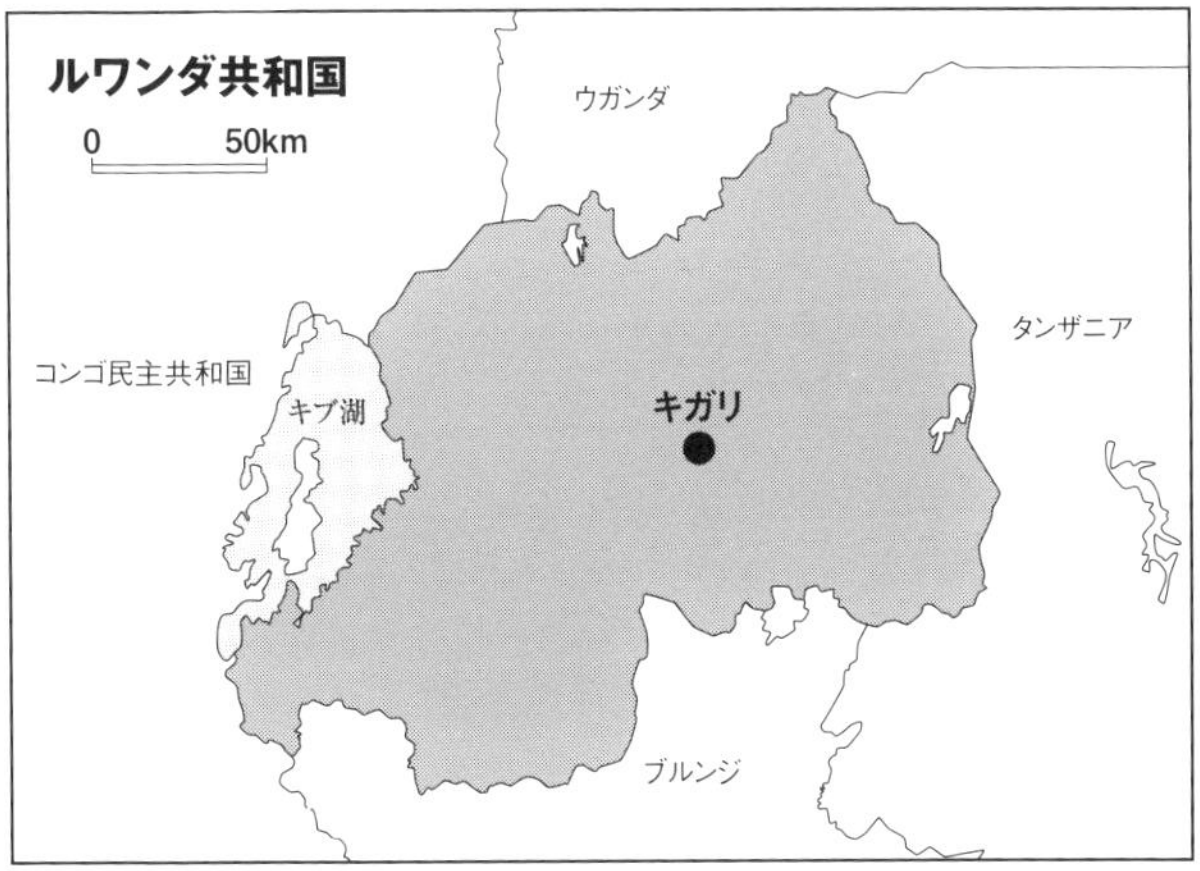

## 教育の援助《えんじょ》の質的転換《てんかん》

二一世紀の今日、教育を受ける権利《けんり》は人権の一部として世界に広く理解されている。国際社会は、世界中のすべての子どもが基礎教育を受けることができ、さらに大人たちが字を読めるようにする「万人のための教育（EFA：Education for All）」を二〇一五年までに達成するという目標を二〇〇〇年にたて、その実現に努力してきた。

この際に注目されたのは教育の「量」を示す指標で、どれだけの割合《わりあい》で子どもたちが学校に行けているかという指標（就学率《しゅうがくりつ》）を一〇〇％にすることが目指された。量的指標を達成するためには十分な数の学校が必要だし、そこで教える先生も必要になる。

この結果、ほとんどの国・地域で教育の「量」の指標は改善《かいぜん》し、多くの子どもたちが教育機会を得るようになりつつある。

それでもユネスコ（国際連合教育科学文化機関）が発行する『世界子供白書二〇一六』によれば、二〇一三年の時点で約一億二四〇〇万人の子どもおよび青少年が、学校に入って教育課程を全うする機会を与《あた》えられていない。これには初等学校就学年齢《ねんれい》の子どもが約五九〇〇万人、そして前期中等学校就学年齢の青少年が約六五〇〇万人含《ふく》まれている。就学していない初等学校就学年齢の子どもたちの過半数が、サブ・サハラと呼ばれるサハラ砂漠の南部に位置するアフリカに住んでいる。さらに、男子に対して女子が教育を受ける機会が低いこと（ジェンダー間の格差）も引き続き問題となっている。

また、たとえ小学校に通えたとしても、三八％の子どもたちが読んだり書いたり簡単な算数を身につけることなく小学校を卒業するという。

最近の教育支援は「量」に加えて、「質」が重視されるようになっている。たとえばそれまでの暗記中心の学習ではなく、生徒自らが考えることを大切にした「学習者中心型、探究型、成果重視型」の教育が、多くの国と地域で目指されるようになった。日本のODAでも、カリキュラムや教科書の内容まで踏み込んだプロジェクトが、いくつかの国々で行われている。

さらには、そんな新しい教科書を有効活用して

小学校を訪問するといつも多くの子どもたちが大歓迎してくれる。ルワンダ南西部チャンググ県にて

教える先生を育てることも重要になる。そこでは主に二つのアプローチがある。ひとつはこれから先生になる人たちを育てることで、もうひとつは、すでに学校現場で教えている先生たちへ新しい教育方法を伝えることだ。

おおざっぱにいえば、ぼくがカンボジアで関わったプロジェクトは前者で、フィリピンのプロジェクトは後者だった。

カンボジアの仕事が一段落《いちだんらく》したぼくに声がかかったのが、ルワンダでの学校現場での先生たちの学び合いを促進《そくしん》しようという、教育の「質」改善を目的とした教員研修プロジェクトだった。アフリカの水を飲んだ者はアフリカに帰るという。ケニアでのボランティア活動以来二〇年ぶりのアフリカに、とてもワクワクしたんだ。

## 通信革命《かくめい》

二〇年ぶりのアフリカでとても印象的だったのは、通信革命の圧倒的な力だった。

一九九一年の初めてのケニア滞在時《たいざいじ》、ケニア西部の村から日本に電話をかけるには五〇キロ離《はな》れた町まで行かなければならなかったし、国際電話の料金も高額だった。日本とのやりとりは日数のかかる郵便《ゆうびん》だけが頼りだった。

久しぶりのアフリカでは、インターネットと携帯《けいたい》電話が日々の生活と仕事に大きな変化をもた

授業の改善について話し合う先生たち

らしていた。ルワンダのほとんどどこからでも携帯電話が使え、日本との連絡《れんらく》も簡単だった。プロジェクトの事務室では、他国の業務を掛《か》け持つ日本人の同僚《どうりょう》が、世界のあちこちにいる関係者とインターネットをつないで、ルワンダ以外の業務について電話会議を持つこともしばしばだった。もちろんルワンダの人たちも、多くが携帯電話を持ち、通話以上にメッセージ機能を使ってコミュニケーションしていた。この二〇年に起こった通信技術の進化は、世界を、アフリカを、革命的に変えたんだ。

　飛行機の乗り換《か》えを含《ふく》めて、日本を発ってちょうど二四時間でルワンダの首都キガリに到着《とうちゃく》する。ルワンダの人たちは〝千の丘《おか》の国〟と自分たちの土地を呼ぶ。その名の通りキガリもいくつもの丘が連なる町で、丘を回りこむ道はくねくねと蛇行《だこう》して、慣れないと東西南北がすぐにわからなくなった。

　ルワンダでは国の方針で、学校での教育言語としてそれまで使っていたフランス語を止め、英語に切り替える大事業が進んでいた。日本の学校ですべての科目で日本語をやめて他の言語で教えるとなったときのことを想像してみてほしい。教育言語の変更《へんこう》がとてつもなく大変なことなのがわかるだろう。英語で教えるための研修が国中で広く実施《じっし》され、多くの先生たちが参加していた。

　なぜフランス語を捨《す》て英語を導入するのか。それは、ルワンダを植民地にしたベルギーが二〇世紀初頭に持ち込んだフランス語を捨て、国際語としてより価値が高いと彼らが判断した英語をルワンダ政府は選んだのだと簡単に説明しておく。ルワンダには彼ら自身の言葉であるルワンダ語がある。日常生活で使われるのはこのルワンダ語だ。

それでも学校ではフランス語や英語を使うのは、欧州《おうしゅう》の植民地として土地を分割《ぶんかつ》されたアフリカ諸国《しょこく》の辛《つら》い現実だ。

ルワンダでもぼくは多くの教員研修に参加した。参加者の全員が自分の電話――多くは日本でガラパゴス携帯と呼ばれる旧式のものだったけれど――を持ち、どの研修会場でも数少ない電気コンセントに充電《じゅうでん》コードがタコ足でつながれていた。

## 白い精霊《せいれい》

海外での食事に疲《つか》れたとき、中華《ちゅうか》料理は強い味方だ。世界中で大きな町ならば探《さが》せばたいてい華人《かじん》が営業する中華料理店があって、食べ慣れた白いご飯や中華麺を味わえる。自炊では足りなくなりがちな野菜もたっぷり摂《と》れる。キガリにも数軒の中華料理の食堂があり、ときどき利用した。ルワンダのスタッフたちと食事をしようとなったときも、たまには中華もいいだろうと思い彼らをそんな一軒に招待したことがあった。

ほとんどのスタッフにとって中華料理の食堂に入るのは初めてだったようで、彼らが置いてある箸《はし》を珍《めずら》しそうにいじったりしているうちにビールが運ばれ、楽しく宴《うたげ》は始まった。やがていくつかの料理が運ばれてくる。「これは何の肉?」とひとりが尋《たず》ねた。「こっちは牛で、そっちは豚《ぶた》ね」と同席した日本人スタッフが答える。「豚?」少々不穏《ふおん》な空気が流れる。勇気を出してという風情《ふぜい》で、何人かは豚肉の皿に箸をのばす。おそるおそる口に入れ「うん、おいしいよ」といってくれるけれど、どこか社交辞令じみてもいる。結局、豚肉を使った料理の消費はなかなか進まず、最後までそれには箸をつけないスタッフもいた。

彼らはみんなキリスト教徒だった。ルワンダでは九〇%以上の人たちがクリスチャンで、けして宗教《しゅうきょう》的な理由で豚肉を食べないわけではない。

「世界の豚肉生産量 国別ランキング・推移《すいい》」をグローバルノートという国際統計・国別統計専門サイト(https://www.globalnote.jp/post-15237.html)で調べてみると、ルワンダの豚肉消費量は日本のほぼ一〇〇分の一だ。人口は約一〇分の一だから、一人あたりの消費量は日本がルワンダの一〇倍程度となる。日本の一〇分の一程度の豚肉を消費していると考えると、それほど少ないとも思えないけれど、おそらくルワンダでの豚肉消費はベーコンやハム、ソーセージなどの加工肉が主なのではないだろうか。ちなみに豚肉消費量世界一の中国は、一人あたりの消費量は日本の約四倍、ルワンダの約四〇倍になる。

　ムスリムの人たちが豚肉を禁忌《きんき》にしていることはよく知られているけれど、ぼくの印象では、ムスリム以外の人でも、とくにアフリカでは豚肉を忌《い》み嫌《きら》う傾向《けいこう》があるように思う。一方でアフリカでは一般的なヤギは、日本ではほとんど食べられていない。そもそも極東と接したことのない人たちはアフリカにはたくさんいる。それはアフリカと接したことがない日本の人がまだ多いのと同じだ。東アジアとアフリカとの大きな交流が始まったのは第二次世界大戦後のことと考えれば、お互《たが》いの食文化の交歓《こうかん》はまだこれからのことなのかもしれない。日本や中国からアフリカを訪《おとず》れる人の数は増えても、中国や日本で好まれる豚肉料理は、まだアフリカの庶民《しょみん》には身近ではない。

　スタッフと一緒《いっしょ》の食事は、その後はイタリア料理の食堂でピザというのがお決まりになった。

　ある高校での教員研修に参加したときのこと。ちょっとした時間を持て余して、ぼくは校内をぶらぶらと歩いていた。すると生徒たちが集まって勉強している教室があり、ぼくはその外で足を止め、窓越《まどご》しにその様子を見守った。教室の中では生徒がひとり、黒板の前に立って同級生たちに何か説明していた。数学の証明問題のようだ。ふとその生徒がこちらに気がつき、ガラス越しに彼女とぼくの視線がぶつかった、と思った瞬間《しゅんかん》、彼女はへなへなとその場に倒れ込んでしまった。気を失ったんだ。椅子《いす》に座《すわ》って彼女の説明を聞いていた生徒たちが、あわてて彼女に走り寄った。

　あわてたのはこちらもだ。こんなときいちばん怖《こわ》いのは、連鎖《れんさ》反応で他の生徒も次々と失神してしまうことだ。ぼくはすかさず教室に入って、生徒たちに声をかけた。お化けではないことを証明しようと思ったんだ。倒れた生徒は幸い机《つくえ》や床で頭や身体を打った様子はなく、やがて級友たちに抱きかかえられて寄宿舎のほうに連れて行かれた。ぼくはすぐに研修にもどり、その学校の副校長に今あったことを報告した。様子を見に行ってくれた副校長は笑いながら戻《もど》ってきた。「どうやら彼女は白い精霊を見かけたらしい」。

副校長の説明を聞き、まわりの先生たちがぼくを指し歓声をあげた。色はさておき、神秘《しんぴ》な存在である〝精霊〟と見てもらえたからには、せめてとっておきの微笑《ほほえ》みで応えるしかなかった。

## コーヒー一杯の値段《ねだん》

ぼくは大のコーヒー好きだ。そしてルワンダはコーヒーの産地だ。

乾季《かんき》の七月に見渡《みわた》しのいい場所から開けた谷を見下ろして眼をこらすと、茶色っぽい大地のところどころにそれほど大きくないぼやっとした白い塊《かたまり》があるのに気づく。近づいてみるとそれはコーヒーノキの畑で、コーヒーノキの枝いっぱいに白い花が咲《さ》きこぼれているんだ。どのコーヒーノキ畑もそれほど大きくはない。せいぜい数十本くらいの畑が普通で、それぞれの木は人の身長より少し高い程度。その木の枝に白い小さな花がみっしりとつく。それが遠くから見ると、まるでおぼろのような、靄《もや》のような、白くやわらかい光を放つ。初めてこのコーヒーノキの花がつくるひそかに季節感を刺激《しげき》する景色に気がついたときは、とても得をしたような気持ちになった。

〝コーヒーノキ〟というのは、コーヒー豆を収穫《しゅうかく》する植物の正式和名だ。おそらく〝コーヒーの木〟の音をそのままあてたのだろうけれど、ちょっと変わった名だ。

このコーヒーノキの実の果皮は熟《じゅく》すと濃《こ》く深い赤色となる。果皮とその下の薄《うす》くほのかに甘《あま》い果肉を取り除いた後に残る種がコーヒー豆で、あれはマメ科の豆ではない。ドイツ、さらにベルギーの植民地だった二〇世紀前半に、輸出産品として植民地政府が各農家にコーヒー豆の生産を義務づけたのが、ルワンダでのコーヒーノキ栽培《さいばい》の始まりだそうだ。コーヒー豆は今でも総輸出額の四分の一を占《し》める、ルワンダの主要輸出品のひとつだ。

でもコーヒーはルワンダの人たちが昔から親しんできたものではない。今でも多くの人たちはコーヒーを日常飲むことは多くない。ぼくはルワンダで働き始めるとすぐに事務室にコーヒーメーカーを置いて、毎日ルワンダコーヒーをいれて飲んだけれど、ルワンダの同僚たちが楽しむのはコーヒーではなくて紅茶《こうちゃ》のことが多かった。

ある記事（「世界に誇《ほこ》るルワンダコーヒー！海外青年協力隊を終えてもコーヒー事業に関わり続ける現地インターン生が考える」@Africa　http://atafrica-media.com/archives/549）によれば、ぼくたちが日本で飲むコーヒーの価格は、ルワンダの農民がコーヒーノキ栽培から得る収入《しゅうにゅう》の一五〇倍になるという。たとえばカフェで一杯三〇〇円のコーヒーを頼めば、そのうち二円だけが農民の収入になるわけだ。生産者以上に中間業者が儲《もう》ける流通システムはコーヒー豆だけではなくて、チョコレートの原料となるカカオや、胡椒《こしょう》といった嗜好品《しこうひん》、さらには果物、米、綿花など途上国《とじょうこく》で作られる多くの一次農産品、さらには鉱物のような天然資源《しげん》に共通している。それに対して先進国の非営利団体らがフェアトレード――貧困を生まない公正な価格で途上国の原料や製品を取り引きする国際協力の仕組みのひとつ――を進める動きも広がっている。けれど、富める国と貧しい国の貧困格差は、依然として大きいままだ。

農産物の輸出入と〝公平〟さらに〝安全〟という課題は、ぼくたちの日常生活にも密接に関係している。たとえば、日本でも、米の輸入をどれだけ解禁するかという議論がある。消費者からすれば安いほうがありがたいし、生産者なら高く売りたい。日本ならスーパーで買う日本米の値段は一キロ三〇〇～五〇〇円ぐらいだ。多くの途上国で米の値段は日本の一〇分の一程度だろう。米国でも半額ぐらいだ。海外の安い米が入ってくれば、日本の稲作農家の競争力は高いとはとてもいえない。一方、日本が海外の米を大量に買いだすと、米の国際価格は上がり、それが他の米輸入国の庶民を苦しめるという説もある。

ぼくの大学時代の先生は、安全かつ十分な食料確保は基本的人権の一部で、農産物の多くは〝地産地消〟をできるだけ目指すべきだと、会うたびにぼくたち元教え子に力説する。食料とはエネルギー循環《じゅんかん》でとらえるべきで、よそにエネルギーが流れ出てしまわないような物質循環系の中で、生産と消費がまわっていくことが望ましい。それなのに、いまや多くの食料が遠距離《えんきょり》を移動している。それでは地域に蓄えられてきたエネルギー循環が保てないし、腐敗《ふはい》防止や輸送中のネズミや虫の食害を防ぐ目的で、有毒で本来なら必要ない処理《しょり》がなされる。環境《かんきょう》保全の視点からも、食料の輸出入には慎重《しんちょう》になるべきと説く。

ぼくは、食料生産と消費の国境を超えた相互《そうご》依存をむしろ進めたほうが、世界の公平と安全に寄与《きよ》するようにも思う。食料自給率やエネルギー自給率を高めることは、むしろ他国と簡単にケンカできてしまうことにつながるとも思うんだ。生産者と消費者が国境をまたいで互いに必要としあうほうが、国家同士が簡単にケンカできなくなって安心じゃないかな。けれども〝地域のエネルギーを保つ物質循環系《けい》〟を大切にするという先生の考えは、そんなぼくの考え方に対する強烈《きょうれつ》な反論《カウンターパンチ》だ。

食料自給をめぐるそんな考えを知って、あなたはどう判断するだろうか。

世界は開いているけれど、そこにはさまざまな問題も山積みしている。幸せで平和な暮《く》らしが世界に満ち渡るためには、まだまだ多くの知恵と協力が必要で、あなたもそう遠くない先にそんな議論に加わらなくちゃいけない。あわてる必要はないけれど、ぜひ準備をしておいてほしい。

## TWA（トゥワ）

首都キガリはルワンダのほぼ中央に位置し、そこから東西南北に地方への国道がのびる。どの方向に向かっても、道沿いに水を運ぶ人たちの姿《すがた》を多く見かけた。国道でも、さらに舗装《ほそう》されていない間道に入っても、大小さまざまな大きさのポリタンクを頭に乗せたり両手にぶら下げたりしながら女性や子どもが歩いている。荷台にポリタンクを何個も乗せた自転車を汗《あせ》だくになって漕《こ》いでいく男たちは、おそらく村でその水を売るのだろう。

数多くの丘と谷が連なり、さらに雨季と乾季があるルワンダでは、飲料に適する清潔な水を常には確保できない地域が多い。キガリの街中にあった事務室や借家でも、乾季にはよく水道が止まって往生《おうじょう》した。

ルワンダの中心産業である農業を支える農民たちにとって、水問題は切実だ。谷に住居を構えれば雨季にマラリアの危険《きけん》が高まるし、丘に住めば水を汲《く》みに谷に降《お》りなければならない。不衛生な水を飲むためには、沸騰《ふっとう》させるために火をおこす燃料が必要になるけれども、都市以外のガス供給のないところでは薪《まき》集めも大変な作業だ。だから、清水が得られる井戸や湧《わ》き水のある場所があれば、遠くてもそこまで水を汲みに行く人たちが多くいる。往復数時間かけて水を運ぶ人たちも、まだ多いのだと聞いた。

　水を運ぶ人たちに加えて、田舎道を走っていて見かけた忘《わす》れられない光景がある。それは壁《かべ》に白いペンキでＴＷＡ（トゥワ）と大きく書かれた道沿いの小さな平屋建ての家だ。そんな家を二年近い滞在のあいだに二回だけ、走りゆく車の窓からちらりと見た。

　〝トゥワ〟というのは、アフリカ赤道下に広がる熱帯雨林地域の狩猟《しゅりょう》採集民ピグミーのルワンダでの呼び名だ。ルワンダで人口の一％ほどを占める少数民トゥワの多くは、今は森を離れ、定住生活を送っているという。ぼくが見たＴＷＡと大書された家にも、おそらくそういった人たちが暮らしていたのだと思う。

　なぜその家がそれほど印象に残っているのかというと、その壁に書かれたＴＷＡの字がぼくにはどうしても禍々《まがまが》しいものに見えたからだ。親切心とか、愛情、友情、敬意《けいい》というような感情からとても遠いもの。どう見たってそれは悪意や蔑視《べっし》が含まれた、とても凶暴《きょうぼう》で悲しい筆跡《ひっせき》の落書きだった。

　おそらく、すべての社会で、多数者による少数者や弱者への蔑視や差別が存在《そんざい》してきた。身近な例では、日本の学校での〝いじめ〟がある。ときどき不思議に思うのだけれど「この学校にはいじめはありません」という表現があるけれど、あくまで「昨日までなかっただけ」なんじゃないだろうか。「昨日まではいじめはなかったから、今日からもないように努力する」ことだけが可能なんじゃないかと思うんだ。弱い者いじめの誘惑《ゆうわく》は、きっととても強いものだ。とくに心が弱っている人にとって、自分より弱いものの存在は〝救い〟になることがあるのだろう。自分が弱かったときを思い出せば、ぼくにも思い当たることがある。だからどんな人の集まりでも、そこに他者に対する蔑視や差別といった感情に囚《とら》われる人が出てくることは避《さ》けられない。だから、それが広がり定着しないような仕組みや努力は欠かせない。

境界を超えて人が移動し、異郷《いきょう》、異文化の人たちが接し合うのは仕方がない。だから誰でも、開いた世界に自由に飛び出していけばいいと思う。でもときどき自信がなくなる。たとえば森の中で暮らしてきたトゥワの人たちにとって、〝開いた世界〟は彼らに幸福をもたらしているのだろうか、と。むしろ、彼らの幸せを奪《うば》ってきたのではないか、と。ならば、世界は閉じていたほうがよかったのか。世界は開いているから仕方がないという物言いは、多数派、支配民の浮《う》かれた戯言《たわごと》なのではないか。

ヤマトンチュ（琉球《りゅうきゅう》・沖縄《おきなわ》から見た〝日本人〟を指す言葉）あるいはシャモ（〝日本人〟を意味するアイヌの言葉）とも呼ばれる日本の明らかな支配民に属するぼくが、ルワンダのトゥワの例だけを挙げるのはずるいだろう。多数者には意識されない境界によって、少数者が「差別」を感じる

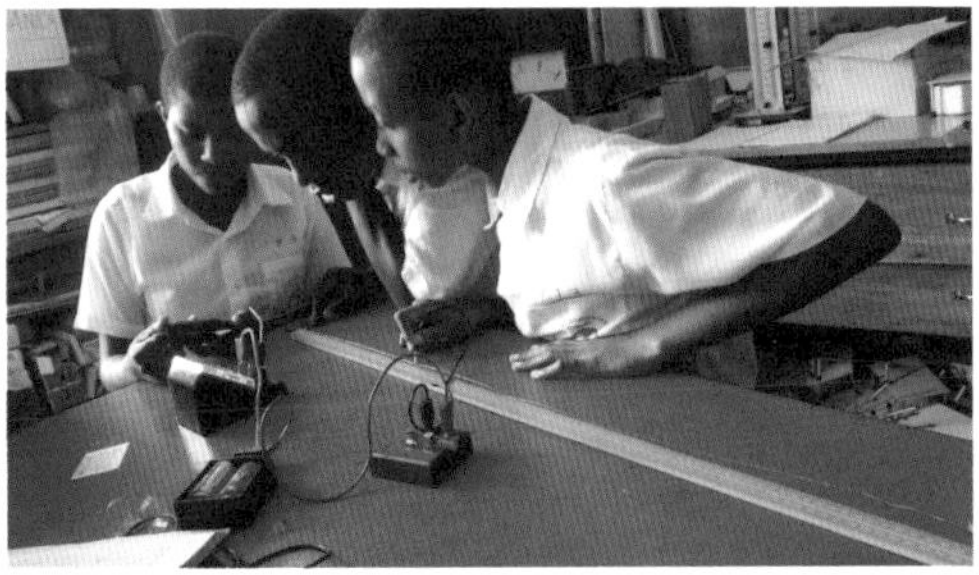

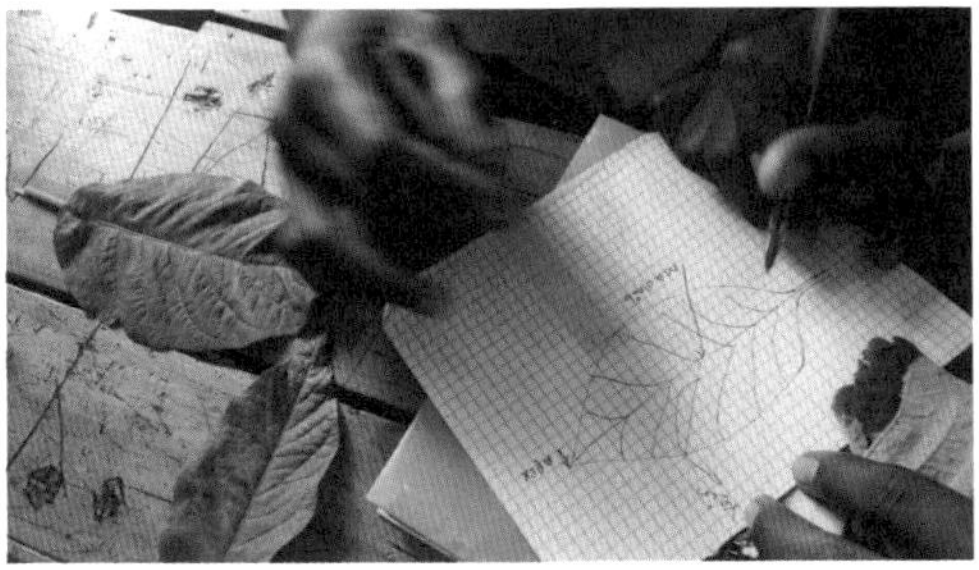

キガリ郊外の小学校でモデル授業のために木陰で待機する子どもたち（上）、物理実験（中）、小学生によるスケッチ

状況《じょうきょう》は、現在の日本社会にも多い。日本が「単一民族」で成立してきたという幻想《げんそう》も根強い。そんな窮屈《きゅうくつ》な幻想で何を守りたいのだろうと思っているぼくにとって、TWAと壁に書かれた文字が発していた悪意の気配は、けして他人事ではなかったんだ。

## 〝ティの人〟〝エフの人〟

ルワンダでは一九九四年四月七月に始まった虐殺《ぎゃくさつ》によって、数か月のあいだに一〇〇万人が殺された。全人口の二割に達する数字だった。虐殺のきっかけは、大統領の乗った特別機がキガリ着陸時に発射者《はっしゃしゃ》不明のミサイルで撃《う》ち落とされたことだった。四月七日は、今では慰霊の日とされ、毎年その前後に全国でさまざまな鎮魂《ちんこん》と和解の儀式《ぎしき》が繰り広げられる。

　この事件の背景《はいけい》を語りだすととても紙面が足りない。簡単に記せば、多数派民族フツによる少数派民族ツチの虐殺となるのだけれど、このフツとツチの人たちはもともと同じ言葉を使い共に暮らしていた。一九世紀の終わりにルワンダを植民地化したヨーロッパ諸国（最初はドイツ、第一次世界大戦後はベルギー）が、当時のヨーロッパ帝国《ていこく》主義・植民地主義を支えた人種主義に基づいて無理矢理にツチとフツを「民族」と見立てたんだ。とくにベルギーがすべてのルワンダ人をどちらかの民族に決め、それがルワンダの独立以降《いこう》も続いたことが、両者の対立につながっていった。

　一九九四年の虐殺以降、個人証明証の民族欄《らん》は廃止《はいし》され、ルワンダにツチとフツという民族はもはや存在しないことになった。ぼくのようなよそ者がその単語を使うことも厳禁《げんきん》だ。同僚《どうりょう》の出身地を聞くことも気をつけなければならない。なぜなら出身地によって今はもうないはずの〝族性〟がわかってしまうから。家族の消息を聞くのもむずかしい。親兄弟に多くの犠牲者《ぎせいしゃ》があれば、それはツチであったことを想起することになりかねない。日本人同士が日本語で会話するときにも、ツチ・フツの問題を語るときには慎重になった。必要があってその話題にふれるときには、〝ティの人〟〝エフの人〟とそっと口にした。

　公的には存在しないはずの民族だけれど、当事者はみな自分がどちらに属しているかは、今も強く意識しながら生活している。自分だけではなく、隣人《りんじん》の、職場の同僚の、同級生の、先生の、さらに政治家のそれぞれの属性も、強く意識されている。だからこそ、よそ者のぼくにも両者の紛争《ふんそう》のほとばしる痛みが伝わってくることがあった。

地方出張への車中で、家族に関して聞かれることをかたくなに拒《こば》んでいた同僚が、ふと「両親はこのあたりに住んでいた」と、はっきりとした過去形を使ってつぶやいた。なにか続く一言があるかと息をのみながら、彼女の見つめる先に眼を向ける。連なる丘がゆっくりと後方に流れていく。

虐殺から20年、2014年4月7日の虐殺祈祷日にロウソクに火を灯し祈るルワンダ教育省スタッフたち

彼女のくちびるは再び閉じられたままだ。

首都キガリにある虐殺記憶館でのこと。虐殺に至《いた》るまでの歴史や犠牲者の記憶の展示の前で、中年の女性が泣きくずれて動けないままでいる。連れの人たちが、彼女を抱きかかえて立たせようとしているのだけれど、彼女は立ち上がれない。悲鳴のような嗚咽《おえつ》とともに、彼女のほおを涙《なみだ》が流れ落ちる。

なによりも、頭や首あたりの傷は服を着ていてもはっきりわかる。職場でも、研修の場でも、市場でも、道を行く人の群れの中にも、多くの傷《きず》あとが眼に入った。とくに研修の場で参加者が座席《ざせき》につくと、それまでわからなかった頭頂部の傷痕《きずあと》が目に入り、ぼくを落ち着かない気持ちにさせた。服の下にかくれた身体、そして心にも無数の傷が残っているのは間違《まちが》いない。

傷が残っているのは、殺されずに生き残った者だけではないはずだ。多くの人、とくに男性が、マチェーテと呼ばれる山刀で人を撃《う》ったときの感覚を、その利き手に覚えているはずだ。死ぬまで消えないであろうその感覚を、傷と呼ぶのは感傷的《かんしょうてき》すぎるだろうか。

出張先の田舎の宿でのこと。薄暗い電灯の下でルワンダの同僚とビールを楽しんでいるときに、酔いの回った彼が「私《わたし》たちは学校にも行けなかった」と思わず口にしたときのことも、忘れられない。その場のルワンダスタッフは彼ひとり。彼が口にした複数形主語〝私たち〟がルワンダの多数派を占める側を指し、つまり虐殺をした側のことなのはすぐにわかった。大学出のエリートである彼が「学校に行けなかった」はずはない。彼は、植民地時代に少数派ツチが優遇され、多数派フツが虐《しいた》げられていた時のことを語っていた。おそらく彼はそれを祖父母や両親から何度も聞かされてきたのだろう。個人証明証から民族欄が消えても、家族が語りつなぐ記憶は簡単には消え去らない。そして、虐殺した側、つまり悪者と国際的にレッテルを貼られた側に身を置く息苦しさ、のどまで出かかった「でもね……」を口にしたくてもできないもどかしさが、彼の心に渦巻《うずま》く瞬間があることがひしひしと伝わってきた。

一九九四年の虐殺から三年後の一九九七年四月、ルワンダ西部のコンゴとの国境に近い町キブイェ、さらにギセニィにある寄宿制学校がフツ族至上《しじょう》主義者に襲《おそ》われ、キブイェでは一六人の女生徒が、ギセニィでは一七人の女生徒と六二歳《さい》のベルギー人尼僧《にそう》ひとりが殺された。ルワンダ虐殺の詳細《しょうさい》を記した本は、以下のようにつづる。

ギセニィの学校の襲撃では、キブイェが襲われたときと同じく、十代の少女ばかりの生徒たちは寝ているところを叩き起こされ、分かれるように命じられた——フツ族とツチ族に。だが、生徒たちは拒んだ。どちらの学校でも、自分たちはただルワンダ人であると少女たちはいった。そのため全員が無差別に殴られ射殺された。

（フィリップ・ゴーレイヴィッチ著、柳下毅一郎訳『ジェノサイドの丘　ルワンダ虐殺の隠された真実〈新装版〉』WAVE出版、2011、479ページ）

全員が殺されたにもかかわらずこのエピソードが伝わっているのは、後日、殺した側の若者《わかもの》らが逮捕《たいほ》され、そのことを語ったからだ。

想像してみる。そのとき「私はフツです」といえば助かったかもしれない女生徒の唇《くちびる》は震《ふる》えていただろうか。その横で、ツチだと自覚していた級友はどう思っただろう。少しはうれしかっただろうか。そんなことを感じることもできないぐらい、恐怖《きょうふ》で体が強張っていただろうか。暗がりの中で、彼女たちの震える手はしっかりとつながれていただろうか。もしかして、フツでもツチでもないひとりのトゥアの子もその場で殺されていて、でもそのことは忘れ去られていないだろうか。彼女たちとぼくは、見えない細い線でつながっているだろうか。つながれたらいい、と思う。

一方で、彼女らを殴《なぐ》り倒した者の憎しみの洗脳《せんのう》が解けることはあるだろうか。同じ時代に生きている彼らと自分をつなぐ細い線もあるはずだ、ともぼくは思う。むしろ、こちらの細い線こそを忘れてはならない、と思う。

研修で話し合う先生たち。なかには赤ちゃんをつれた人も

## 誰が教員研修費を負担《ふたん》するのか

ぼくがルワンダで関わったプロジェクトには、校長や教員を対象とした研修が計画されて、その実施に係る経費はルワンダ側が負担する約束になっていた。これはとても画期的なことなんだ。

それまで関わってきたフィリピンやカンボジアでは、プロジェクトの研修費は支援を行う日本側が負担するのが普通だった。プロジェクト終了後にも支援された側が同様の研修を実施していくことを考えれば、研修を自らの予算で実施できたほうが、プロジェクト後の継続《けいぞく》性は確実に高くなる。それでも支援する側が研修費を出してしまう理由はいくつかある。

ひとつは支援される側に十分な資金がないことだ。たとえプロジェクトを実施する予算が被支援国政府の年度予算に組み込まれても、計画通りに予算が執行されないことがよくある。そうなれば、予定していた研修は当然延期になる。

支援する側は、研修の予定にあわせて、誰をいつごろ、どれだけの長さでその国に派遣《はけん》するかを事前に決めている。たとえば、日本の大学の先生が研修指導を行うとすれば、事前に大学のスケジュールとの調整が必要になる。いつでも自由に海外出張できるわけではない。

さらに、プロジェクトは常に評価にさらされている。つまり予定されたスケジュールをきちんと消化して、その成果を評価者に対してアピールする必要がある。評価者とは、つまりお金の出資者、スポンサーだ。政府間援助（ODA）であれば、それは日本政府だし、さらには政府に税金を払っている納税者《のうぜいしゃ》となる、NPOであれば、それぞれの支援者のことだ。

予定通りにプロジェクトが進まなければ、当然評価は下がる。プロジェクトに関わる者が次の仕事を得る際には、それが不利に働くかもしれない。NPOなら、支援者が支援を止めてしまうことも起こる。だからマイナス評価を避けるためにも、プロジェクトはできるだけ予定通りに進めたいのが支援をする側の正直な心情だ。

つまり支援される途上国側の不安定な予算のせいで、突然予定が変わってしまうのはできるだけ避けたいんだ。最初から支援する側の予算を使う前提で計画を立てたほうが、プロジェクトを予定通りに進めやすい。

支援される側からすれば、黙っていてもお金は流れてくるのだから、楽チンだ。しかし、支援する側の予算を使っている限り、支援される側の責任感はどうしたって育ちにくい。その研修内容が気に入らないとしても、お金を出してもらっていれば、文句もつけにくい。結局、支援する側主導でプロジェクトを実施して、プロジェクトが終了すれば、さらなる支援者探しをすることになりがちだ。

だから研修費を支援される側のルワンダが負担する計画を立てたのは、援助という枠組みの中で実施するプロジェクトとしては挑戦《チャレンジ》だった。

実際にプロジェクトが始まってみると、予想通りルワンダ側の予算執行の遅れで研修は計画通りには進まず、スケジュールは二転三転した。研修の前日になって延期が決まることもあった。それでもプロジェクトはじっと耐えた。日本からルワンダへの出張日程も、できるだけ柔軟に対応するように努めた。

ルワンダ側の予算を使う利点も多くあった。たとえば会計処理は支援する側の予算を使う場合よりも大幅に簡略化された。日本のお金を使う場合は、日本のルールに従って会計処理をしなければならない。日本のルールに慣れていない援助される側のスタッフたちが、混乱することも出てくる。現地の会計ルールを使ったほうが、研修の運営がスムースに進むのは当然だった。

さらに自分たちのお金を使うことで、ルワンダ側の研修内容に対する真剣度《しんけんど》も高まる。研修内容を話し合う場で、ルワンダ側から積極的な意見が出てくる。もちろんそれに対応するのは大変だったけれど、こちらの責任感も増すような感覚も生まれてくる。そんなやり取りの中で、支援される側が支援する側に「やらされる」のではないプロジェクトになっていく。それはぼくにとっても新鮮な感覚だった。

## キブ湖畔《こはん》の夕暮《ゆうぐ》れ

二〇一四年八月下旬、ぼくはルワンダの最南西部の国境の町ルシジ（旧チャンググ）のキブ湖畔にいた。その日の研修を終えて、ルワンダの同僚たちとのどを潤《うるお》すビールの清らかさよ。夕闇迫《ゆうやみせま》り、対岸にはコンゴ民主共和国の町の灯が見え、そこから数人乗りの手漕ぎのボートが夜の漁に出ていくのが見えた。

キブ湖はアフリカ大地溝帯《だいちこうたい》の一部で、湖面の標高は一五〇〇メートルほどである。インド洋からも大西洋からも遠いこのアフリカ最深部に西洋人が到達したのは一九世紀後半、まだ一〇〇年ちょっと前のことだ。しかしこの地域はアフリカの中でも人口密度《みつど》が高い場所で、西洋人が到達するずっと以前から多くの人々の生活があった。

そのキブ湖対岸のコンゴ東部は、携帯電話に欠かせないコルタンと呼ばれる希少金属の産地だ。そこでは一九九〇年代後半から二〇〇〇年代にかけて周辺諸国を巻き込んだ、アフリカ大戦とも呼ばれる長い戦争があった。日本ではあまり知られていないけれど、何百万もの犠牲者を出した地域でもある。周辺各国が兵を引いた以降もコンゴ東部は無政府状態の場所が多く残り、そこでは小さな紛争が繰り返されている。この紛争の被害者である何万人もの強姦《ごうかん》された女性を治療《ちりょう》してきたムクウェゲ医師が、二〇一八年にノーベル平和賞を受賞した。彼の運営する病院があるのは、ぼくがビールを楽しんだルシジから国境をはさんだすぐ目の前、コンゴの町ブカブだ。二〇一四年のそのときも、コンゴではエボラ出血熱の流行が伝えられていた。

いつまで続く人々の苦難《くなん》なのか。そんな思いに揺れながら景色を眺めていると、こちらの岸からひとりの男性が湖面を泳ぎだした。もしかして夕やみにまぎれて密出国だろうかと、同僚たちと共に注目していると、男性は気持ちよさそうに辺りを泳ぎ回って、こちらの岸に戻ってくる。一日の汗《あせ》を流しながら、水泳を楽しんでいただけのようだ。拍子抜《ひょうしぬ》けしてぼくたちは笑い、それぞれの汗をかいたグラスに手をのばした。

この翌夕、予定どおりに研修プログラムを終えたぼくとルワンダの同僚たちが乗るプロジェクトの車は、キガリに帰る道を走っていた。そして、ルシジを出て一時間ほど経ったニャングウエ国立公園内の国道を走っているときに、車は突然スリップし、谷に転がり落ちた。あっという間のできごとだった。この事故で背骨《せぼね》を脱臼骨折《だっきゅうこっせつ》したぼくは、手術のため数日後に国外に緊急搬送《きんきゅうはんそう》された。こうしてぼくのルワンダの日々は唐突《とうとつ》に終わる。

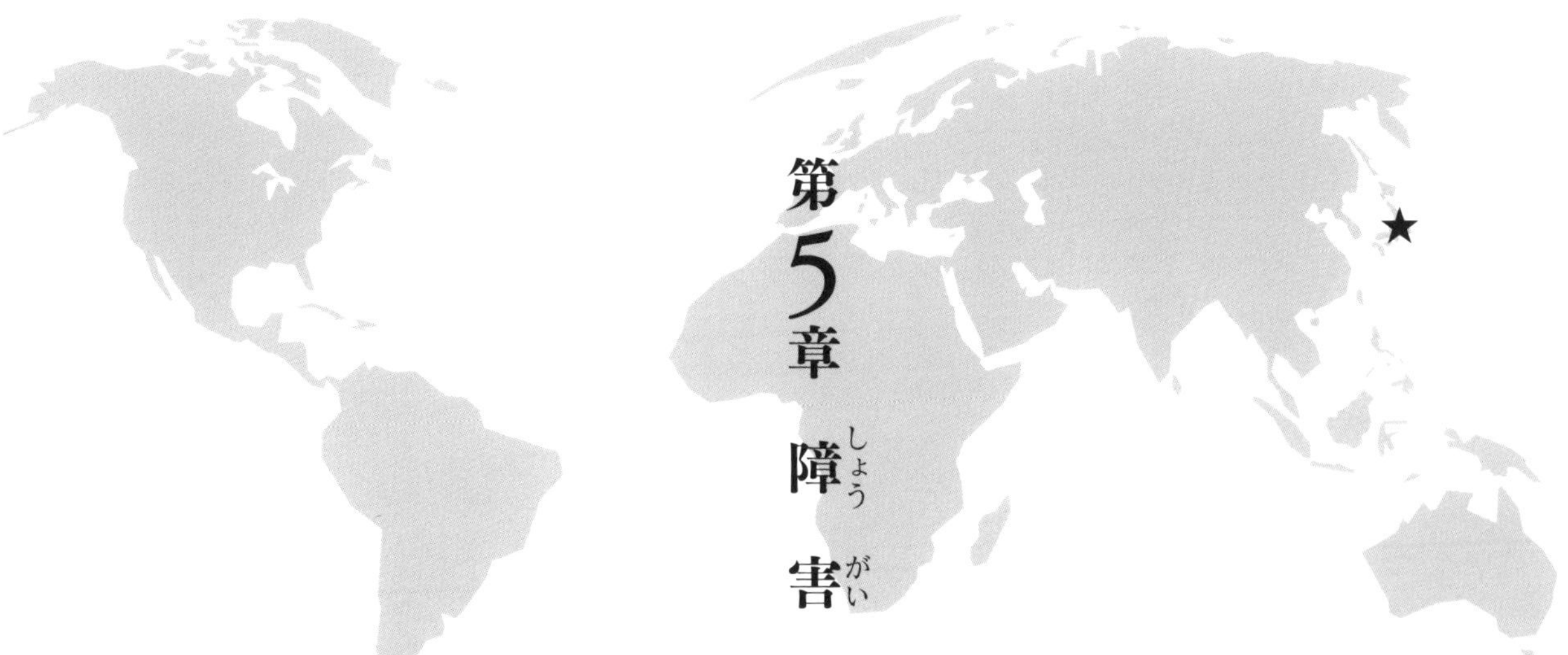

# 第5章 障《しょう》害《がい》

## 日　本

面積　約37万8000平方キロメートル
人口　約1億2652万人
首都　東京
言語　日本語
1人あたりGDP　4万1310米ドル（2018世銀）
（世界平均1人あたりGDP　1万1124米ドル）
障害者数
身体障害者（身体障害児を含む）436万人、
知的障害者（知的障害児を含む）108万2000人、
精神障害者392万4000人
人口千人あたりの人数
身体障害者は34人／知的障害者は9人／精神障害者は31人
（複数の障害を併せ持つ者もいるため、単純な合計にはならないものの、国民のおよそ7.4%が何らかの障害を有していることになる）

データは日本国外務省のHPより抜粋
障害者のデータは日本国内閣府「障害者の状況」（2016）より

## 突然《とつぜん》の事故

　突然スリップした車が路上を反時計周りに一八〇度回転して、さらには道からはずれて後ろ向きに谷に落ちかけていくとき、助手席からフロントガラスの向こうに高い空が見えた。「こりゃけっこう大変なことになるなぁ」と思ったことをぼんやり覚えている。途切れた記憶《きおく》がなんとなく再開したとき、ぼくはどういうわけか後部座席と運転席の間の隙間《すきま》に変な姿勢《しせい》で挟《はさ》まっていた。同乗していた同僚《どうりょう》デニスがぼくの頭の上の天井《てんじょう》に張りついている。車外では見知らぬ人たちがなにやらガヤガヤし、ドアを叩《たた》き壊《こわ》そうとする大きな音が響《ひび》いていた。

　事故が起こったのは午後四時ごろ。ぼくはルワンダの人たちに助け出されて、日没後の暗やみの中、質素な救急車に押し込まれた。キガリの病院にたどり着いたのは翌日《よくじつ》の早朝だった。同乗者七人のうち、ひとりが亡《な》くなる大きな事故だった。

　助け出されたものの、ぼくの両足は動かず、感覚もなかった。CTスキャンで調べてみると、肺《はい》の裏《うら》あたりで背骨《せぼね》が大きくひび割れていた。「おそらく、今後はもう歩けないでしょう」と、身動きがとれないベッドの上で伝えられた。ふーん、そうなんだ、まいったなぁ、と思った。どこかの知らない世界に連れていかれるような気分。またひとつ境界を超《こ》えていくような。

　数日後、ケニアの首都ナイロビに運ばれ手術を受けた。さらに二週間後に日本に搬送《はんそう》され、一年間の病院生活を送ることになる。

　ぼくは背骨の脱臼骨折《だっきゅうこっせつ》による脊髄損傷《せきずいそんしょう》で、下半身麻痺《まひ》の障害者《しょうがいしゃ》となった。

谷に転がり落ちた車の残がい。助手席に乗っていたぼくのシートベルトは外れてしまっていた

## 手と口は動くけど

下半身の感覚を失い一年近い病院生活を送るあいだ、見舞客《みまいきゃく》に対して「幸い手と口は動くから」と、ぼくは気楽に口にしていた。実際にそれは幸運なことだと思った。ぼくの脊髄を走る神経束は胸椎《きょうつい》六番あたりで激《はげ》しく損傷し、腹部《ふくぶ》より下の感覚はもう蘇《よみがえ》らない。それでも上半身の後遺症《こういしょう》は背中《せなか》にしぶとい痛《いた》みが残った以外はとくになく、腕《うで》も自由に動いた。

もし脊髄のもっと上部で神経が切れていれば、指が自由に動かない、腕が動かない。パソコンが打てない、本のページがめくれない。車イスがこげない、好きなコーヒーやビールを飲むのも不自由だ。両腕が動くか動かないかで、行動の範囲《はんい》は大きく変わる。

口――しゃべる――を司《つかさど》っているのは脳から直接出ている迷走神経なので、脊髄損傷で発声障害《しょうがい》が生じることはない。ただ、脊髄の中でも首のあたりの頸髄《けいずい》を損傷すれば呼吸《こきゅう》障害が起こることがあり、その場合は発声障害どころではなく命の危機《きき》となる。呼吸障害が起これば、人工呼吸器をつけることになり、そうなれば会話も簡単《かんたん》ではない。

そのような重い障害と比較《ひかく》すれば、ぼくが背負《せお》うことになった障害はまだましなのはたしかで、それが「幸い手と口は動くから」という発言に象徴《しょうちょう》されていた。

事故後の記憶は、夢の世界でのできごとのようだ。夜どおし首都キガリに向かって走る救急車が、カーブの多い国道を右に左に揺《ゆ》れていたこと。ぼくの処置《しょち》を懸命《けんめい》に検討《けんとう》してくれる人たちをよそに、ベッドでウトウトしているだけだったキガリの病院のこと。

手術を受けるために、ルワンダよりも医療《いりょう》環境《かんきょう》の整ったケニアの首都ナイロビに、事故から三日後に運ばれた記憶もあまりはっきりしない。それでも、早朝のまだ暗いナイロビ空港に到着《とうちゃく》して飛行機から運び出されるとき、涼《すず》やかなそよ風がほてった頬《ほほ》に気持ちよかったことだけはよく覚えている。

あなたは〝褥瘡《じょくそう》〟という言葉を知っているだろうか。ぼくは知らなかった。簡単に言い換えれば、

〝床《とこ》ずれ〟のことだ。同じ姿勢で寝たきりでいると、寝床と身体とが触《ふ》れる場所の血行が悪くなり、その部分の組織が壊れていく。最初は小さな傷のように見えるけれど、油断していると皮膚の下で大きな潰瘍《かいよう》となり、ひどくなると筋肉《きんにく》や骨までが腐《くさ》っていく、とても怖《こわ》い症状だ。事故から手術まで、五日間寝返りがうてなかったぼくの尾てい骨あたりにも、この褥瘡ができた。その治療は手術後すぐに始まったけれど、どんどん悪くなった。ケニアでの手術から二週間後、ぼくはさらに日本に運ばれ、それから三つの病院で一年近く過ごしたけれど、この褥瘡が治るまで半年以上がかかった。そしてその間、ぼくは一日のほとんどをベッドの上で過ごさなければいけなかった。病室とリハビリテーション室の往復では車イスを使ったけれど、その際も必ず病院のスタッフが車イスを押してくれるんだ。そんな日々は、家族に頼んで差し入れてもらった本と、イヤホンで聴く音楽だけが楽しみだった。

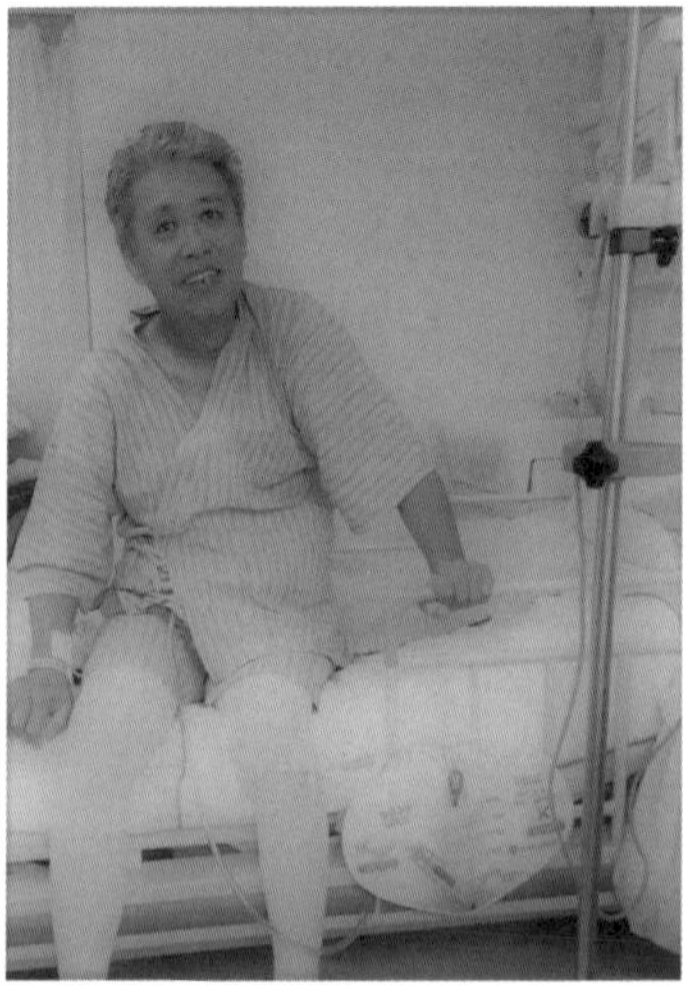

事故から３か月ぐらいころ。ベッドのさくをしっかり握っていないと倒れてしまう

春になり桜が満開になったころ、日本での三つめの病院で、このしぶとい褥瘡はようやく完治した。ベッドから出て自分で車イスをこいで動くことが許可されたときは、とてもうれしかった。

どう考えても、退院後にルワンダに復帰して、けがをする前と同じように働くことは無理だった。それに、どうやって働くかを考える以前に、どうやって日々生活していくかがなによりも大きな問題だった。

事故当時、ぼくはカンボジアの首都プノンペンを拠点《きょてん》にして暮《く》らしていた。だから日本には、退院後に生活する場所もなかったんだ。車イスで動き回れるようになると、退院後の生活を具体的に考えるように病院のスタッフから指導を受ける。プノンペンにすぐに戻《もど》るのはあきらめて、ぼくは車イスでも入居できるアパートを探《さが》した。病院を外出して見に行ったアパートが気に入って契約《けいやく》をしようとしたら、車イスを理由に断られたこともあった。そのときは、ちょっとしょげた。それでもやがて住む場所が決まり、自分の車イスを購入《こうにゅう》して、ぼくはおそるおそる社会での生活を再開したんだ。ぼくのパートナー――彼女はカンボジアの人だ――が、看病のためにカンボジアでの仕事を辞めて来日し、社会復帰をサポートしてくれた。

退院して新生活が始まったとき、最初にコーヒーを自分でいれてゆっくりと飲んだ。おいしかった。病院での決められたスケジュールの生活から解放され、ようやく自分自身の時間を取り戻せたという実感がしみじみとわいてきた。

入院生活のあいだ、ぼくはそれまでほとんど意識したことがなかった日本の社会福祉《ふくし》制度の恩恵《おんけい》を実感することにもなった。まずはけがで仕事ができなくても、すぐに収入《しゅうにゅう》がなくならないように整備された休業補償《ほしょう》制度。さらに仕事中の事故によるけがを治療するための労働災害保険制度。そして事故によるけがの後遺症で働けなくなった際に生計を維持《いじ》するための年金支給制度。もちろんそれらの社会福祉を受けるためには、事故の起こった状況や、けがや後遺症の程度を確かめる〝審査《しんさ》〟が必要だったけれど、周りの人たちの助けを借りながらそれを進めていくことで、どうやらぼくの退院後の生活は、すぐに仕事を再開しなくても当面はなんとかなりそうだった。

ぼくが恩恵を受けた社会福祉制度は、病気やけが、障害などを抱《かか》えた人たちが、社会の中で声をあげて、長い年月をかけて整えてきてくれたものだ。その多くが、半世紀前には未整備だったことを知ると、ぼくは先人たちの努力に心から手を合わせて感謝したくなった。

こうして時間をかけて自分の障害と向きあっていくうちに、ぼくはやがて〝手と口は動くから〟という自らの言葉に何か違和感《いわかん》のようなものを感じるようになった。それは障害者としてはお気楽すぎる発言ではないか、というような失言感だ。手が動かなかったら、しゃべれなかったら、生活がより大変になるのはたしかだ。たとえそうだとしても「手と口が動く」として「それがどうした？」

というような思い。手が動くからラッキーと自認《じにん》することは、起こったかもしれない手が動かない状況と、手が動く現実とのあいだに、強い境界を築いてしまうような感覚が生まれてきた。それは少々〝迂闊《うかつ》〟ではないのか、と思い始めたんだ。

## 失った尿意・便意

　下半身麻痺というと、立てない歩けない車イス生活、ということがまず思い浮《う》かぶけれど、尿意《にょうい》便意も失くしてしまうことが多いことはあまり語られない。つまりオシッコがしたい、ウンコが出そうだ、と思わなくなる。ぼくの場合も、尿や便が溜まった感覚はきれいさっぱり消滅《しょうめつ》した。排尿《はいにょう》排便時の「あぁ、今、尿が出ているなぁ」とか「便が出たなぁ」というスッキリ感も、もはや過去の淡い記憶となった。

車イスでの移動が許されて、病院を外出し事故後初めてのビールの一杯をおいしく飲む。右はカンボジアでの仕事を辞めて日本に来てくれたパートナー（見舞いに来てた友人が撮ってくれた）

　それでも尿は溜《た》まるし、食べれば排出しないわけにはいかない。排出感覚を失った人たちは、まさに百人百色のやり方で日々の生活に対応している。尿が溜まると身体のどこかにシビレが出る、冷《ひ》や汗《あせ》が出る、という人もいる。膀胱《ぼうこう》あたりの下腹部を強く叩くと排尿が始まるという人もいるし、排便を投薬でコントロールする人もいる。

　事故から半年ほど、ぼくの排尿は膀胱までプラスチック管（排尿カテーテル）を通しっぱなしにして、溜まった尿を常に外に流す方法を取っていた。ベッドや車イスの上にいるときも、リハビリテーションで車イスを離《はな》れるときも、常に体のわきに尿を溜める袋を保持し続けることになった。この尿袋には小さな蛇口《じゃぐち》がついていて、尿が溜まればトイレに行って尿を捨《す》てればいい。利点は、

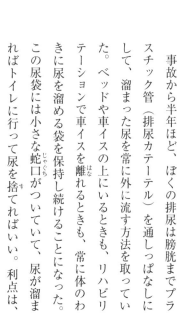

とりあえず尿についてはあまり気にしなくていいことだ。放っておけば、膀胱に溜まった尿が膨圧《ぼうあつ》によってカテーテルを通って外へ出てくる。一方、尿袋をぶら下げて生活することが不便なのはいうまでもない。

　便の方はオシメで対応していた。ウンコが肛門《こうもん》から出てきても、臀部《でんぶ》の皮膚《ひふ》感覚がないので不快感はない。便が出てしまったのは、匂いでわかる。日常生活を送る上で、これはかなり厳《きび》しい。場所と時に関係なく便が出てしまい、しかも排出直後本人は気がつかない。しかし臭《にお》いは周りに広がっていく。病室ならまだしも、自分以外の人もいる場所でウンコの匂いが広がるのは、当事者にとっても、その場に居合わせた者にとっても、至極辛《しごくつら》い。体力が少しずつ回復し、リハビリテーションが本格化してくると、この排尿排便のコントロールが大きな課題となっていった。

## 下半身麻痺のぼくの場合

　この機会に、ぼくの排尿排便の詳細《しょうさい》を書いてみる。

　ぼくは今、だいたい三〜四時間毎に自分で膀胱に管（カテーテル）を挿入《そうにゅう》して尿瓶《しびん》に排尿する自己《じこ》導尿という方法で、オシッコをしている。陰茎《いんけい》を取り出し尿道にカテーテルを通すのは、傍《はた》で見れば痛々しい感じがするだろう。感覚が残っている人に聞くと、尿道に異物感《いぶつかん》があってとても不快だそうだ。でも感覚をきれいに失っているぼくは、不快な異物感は幸いまったくない。

　自己導尿によって、尿袋をぶら下げて生活する煩《わずら》わしさからは開放された。けれど、夜間も含め数時間おきの排尿作業は面倒だ。カテーテルから流れ出る尿は尿瓶《しびん》に溜めて、トイレで捨てる。尿を出す際にカテーテルと尿瓶との向きや角度を誤《あやま》ると、知らぬうちにトロトロと尿が漏《も》れてズボンをぬらしていたなんてことも多い。また頻繁《ひんぱん》なカテーテルの出し入れには感染症《かんせんしょう》のリスクがつきまとう。自己導尿を選択《せんたく》して、尿路《にょうろ》感染による発熱を経験していない人はきっといないだろう。尿管理でいちばん怖いのは、尿路から入りこんだ細菌《さいきん》に腎臓《じんぞう》が感染して敗血症《はいけつしょう》を起こすことだ。それで亡くなる脊髄損傷者は少なくない。

プノンペン市内の学校で野球を楽しむ子どもたち。車イスの審判はぼく（ハイムサンワー撮影）

　排尿以上に煩わしいのが排便だ。ぼくの排便は規則正しく二日に一回。車イスから洋式便器――和式便器は使えない――に移り、ズボンを下ろし、座薬《ざやく》をひとつ肛門に入れる。この座薬は下剤《げざい》ではなく、溶《と》けると二酸化炭素を発生し直腸《ちょくちょう》をふくらませて刺激《しげき》するという代物《しろもの》だ。座薬挿入後しばらく待機する。使い捨てのビニール手袋《てぶくろ》を右手に装着《そうちゃく》し、すべりをよくするために指にワセリンを少量とる。右脇腹越《わきばらご》しから背中に回した右腕をのばして肛門に届かせると、人差し指と中指を二本一緒《いっしょ》に直腸に入れていく。肛門側に指が入っていく感覚はない。指先の感覚が頼りだ。すでに直腸に便が溜まっていることもある。指でそれらを掻《か》き出す。そしてさらに座薬をひとつ挿入する。

　しばらくしたら、先ほどよりもさらに指を深く入れ、直腸とS状結腸との連結部を刺激することで、結腸に溜まっている（はず）の便が腸自身の蠕動《ぜんどう》運動によって排出されるのを促《うなが》す。それだけでなく、結腸の便が押し出されるように、左右の手のひらで下腹部をぐいぐいと押す。これを数回繰り返し、二日分の便を出し切ることを目指す。

　盲腸・結腸・直腸の総称である大腸の役割は水分吸収と理科の授業で習ったけれど、まったくその通りで、大腸での滞在期間の長かった最初に出てくる便は、比較的硬くコロコロしている。しかし、新しい便――排便作業の後半に出てくる――は、まだ大腸での水分吸収が進んでいないので、柔《やわ》らかい。最初は固くてしっかり掻き出さないと出てこなかった便が、最後の方は柔らかくなって、直腸を指で開いているだけでスルスルと押し出されてくる。排便作業を継続《けいぞく》するか終了するかは、便の柔らかさや全体の排出量を指先の感覚で知ることで決める。慣れてくると、右手の二本の指が排出後のすっきり感を脳にもたらすような気さえする。

この作業終了のタイミング――看護師《かんごし》たちは〝閉まる〟〝閉じる〟と呼んでいた――を誤ることもある。まだ結腸内に便が残っているのに作業を止めてしまえば、しばらくしてから柔らかい便が肛門から漏れ出てくる。車イスやベッドに戻ってからも排便が続いてしまうことになり、その始末はつくづく悲しい。一方でもう便は残っていないのに、さらに追加の座薬を入れて幻《まぼろし》の便を求めて指での刺激を続けることもある。そんなときは、もう指のすぐ先まで便が来ている気がして、なかなか便器を離れる決断ができない。

病院でのリハビリテーションでこの作業を最初に経験したとき、ぼくはトイレに三時間以上もこもることになった。座る位置、重心の傾《かたむ》け方や入れる指の角度、直腸内の指の感覚、便の量、すべてやりながら覚えるしかなかった。一年間に一八〇回強、一〇年で一八〇〇回もこの作業を繰り返すのかと考えると、心が折れそうだった。それでも、排出なしの生の営みはありえない。最初の経験から五年以上経つ今でも、一度の排出は早くても三〇分はかかる。気持ちはだいぶ楽になっているけれど、それでも年に数回は車イスやベッドにもどった後にすぐ便が出てしまうことがあり、そんなときは心底げんなりだ。

## 重度障害のある大濱《おおはま》さんの思い

障害者たちが書いた本を何冊も病院のベッドの上で読んだ。そこには「障害を持って生きていくより、死んだほうがまし」という思いに苦しんだ記録がいくつも書かれていた。本には、そんな葛藤《かっとう》の中からなんとか生きる価値《かち》を見出し、再度生きがいを見つけていく希望も書かれていた。けれども、本を書くような障害者はけして多数派ではないはずだ。静かに生きつつ「死んだほうがまし」と思い続けている障害者も多いのだろうと思った。ぼくも手が動かなくて、話もできないような身体になっていたら、死にたいと思うのだろうか。生きる価値と、死んだほうがましと、その境界はどこにあるのだろう。

約一年の病院生活を脱《だつ》したぼくは、やがて電車やバスを使ってひとりで外出するようになる。そんな二〇一九年のある日、大濱眞《おおはままこと》という人を訪《たず》ねた。彼と話すことで、障害をめぐる境界が見えてくるかもしれないと思ったんだ。

大濱さんは、一九七〇年代、二九歳《さい》のときにラグビーのプレー中にタックルを受け損ねて、頸髄《けいずい》損傷を負った。大濱さんのけがは呼吸困難《こんなん》を引き起こし、受傷《じゅしょう》後すぐに人工呼吸器をつけ、それでも三回ほど危篤《きとく》状態となる。本人の意識が明確になったときには、すでに呼吸器がつけられていてベッドから天井を見つめるだけの日々だったという。

事故当時、自らの終末期医療に関しての宣言書を書くことが一般的であれば、事故前に自分は生命維持装置の使用を拒否することを宣言していただろうし、そうであれば家族や医療機関は取りつけた呼吸器を意識が戻る前に外した可能性が高く、おそらく死んでいただろうと大濱さんは振り返る。

一命をとりとめた大濱さんは、すぐに呼吸器なしで自発呼吸ができるようになったけれど、首から下はほとんど動かない全身麻痺となった。やがて、顎《あご》を使って操作する電動車イスを手に入れる。

車イスで動けるようになってからも、生きていくのはたいへんなことだった。まず、大濱さん自身が「電動車イスに乗った姿《すがた》を近所の人に見られるのは恥《は》ずかしかった」。家族の人たちも大濱さんを外に出したがらなかった。苦労して遠方まで親族の墓参りに行ったけれど、親戚《しんせき》たちから「みっともないから、外に出ないでくれ」と告げられ、みんなが墓参に行っているあいだひとりでじっと待っていたこともある。せっかく来たのだからと、大濱さんは夜暗くなってから人目を避《さ》けて墓参りした。

治りたい、と大濱さんは思った。神経が切れたならば、なんとかつなげないものだろうか。受傷前と同じになるまで回復できなくても、車イスから立つことがむずかしくても、せめてこの自分の手が動いて、自分で食事ができたらと強く思った。

受傷から二〇年経った一九九〇年代後半、同じような障害を負った人たちに生きるための情報を提供し、かつ治療に関する医学界の研修を応援《おうえん》するために、大濱さんは「日本せきずい基金」を仲間たちと設立し、その理事長に就任《しゅうにん》する。（NPO法人日本せきずい基金のホームページ　http://jscf.org/publication/kaihou.html）

マウスの胚《はい》から人工多機能性幹細胞《じんこうたきのうせいかんさいぼう》（以下、iPS細胞）を取り出す開発研究によって京都大学教授の山中伸弥《しんや》が二〇一二年にノーベル生理学医学賞を受賞したことに象徴《しょうちょう》されるように、再生医療の分野では近年数多くの進展《しんてん》が見られる。日本せきずい基金は脊髄損傷に関する情報発信を続け、とくに再生医療促進《そくしん》のための活動では障害者運動の先頭に立ち続けている。二〇〇九年の基金の設立一〇周年記念事業として開かれた国際シンポジウムでは、ノーベル賞受賞前の山中が「iPS細胞の可能性と課題」と題した講演を行ってもいる。

　この国際シンポジウムのタイトルは〝Walk Again 2009〟だった。「もう一度歩く」という大濱さんのまっすぐな思いが込められているようだ。この催《もよお》しは一〇周年記念の後も毎年のように開催され、先端《せんたん》医療を含む多くの情報を障害者やその家族、医療機関に提供し続けている。

　しかし、とぼくは思う。再度歩けること、治ることはそれほど重要なのだろうか。治る可能性にかけるということは、治らなければ絶望することにならないだろうか。治らない障害を持つ人にとって、〝治る希望〟はあまりに無力だ。治りたいという強い思いは、すぐに「治らないなら死んだほうがましだ」に転化してしまわないだろうか。〝治る〟という価値観が、障害者の中に新たな境界を作り出してしまわないだろうか。

大濱眞さん（右）とぼく（大濱さんが働く事務所のお近くで、大濱さんのケアワーカーが撮ってくれた）

そんなぼくの疑問《ぎもん》に対して大濱さんは語った。

「呼吸器をつけて、毎日ただひたすら天井を眺《なが》めているだけの人たちがたくさんいるわけです。自分もそうだった。呼吸器が外れて死んでしまう人がいる。知り合いにもここ数年でふたりぐらい、それで亡くなっている。それは悲惨《ひさん》なことですよ」

「脊髄損傷であれば、横隔膜《おうかくまく》さえ動けば自発呼吸ができるようになります。すでに動物実験などでは、成功している。それならば、できるだけ早く人にもって思います」

「私《わたし》も、ベッドのわきに人工呼吸器があってその音が聞こえていて、これが外れちゃうんじゃないかなと怖かった。それは悲惨なことだと思うんです。そんなぎりぎりのところで生きてる人たちがまだたくさんいる」

「そりゃ、表向きの表現としては、自分で食事をしたいとかいい換《か》えていますけれど、本当の根っこのところは、私よりも重度の人たちがなんとか呼吸器を外して暮らせるようになる、そんなことが私の生きている意味かなって思ってるんです」

## 「健常者でも障害者でも」

大濱さんは〝ぎりぎり〟という言葉を何度も使った。その言葉はいつも生と死のあいだの境界を示していた。ぼくが立ち止まっていた障害者の中の境界や、健常者と障害者のあいだにある境界よりも、ずっと色濃《いろこ》いはっきりとした〝死〟という境界を大濱さんはいつも背にして闘《たたか》っていた。そこには「生きていても仕方がない」ではなく「より悲惨でなく生きる」という思いがあって、その最前線では迷って立ち止まっている余裕《よゆう》はないのだ、というのが大濱さんからぼくが受け取ったメッセージだった。

〝生きる価値がある〟と〝生きていても仕方ない〟との境界なんて、頭の中の哲学《てつがく》ごっこに過ぎないのかもしれない。治るとか、治らないとか以前に〝死なないためにどうすればいいのか〟〝長生きするにはどうすればいいのか〟を、健常者と同じように障害者も考えていいんだ。

大濱さんは、〝健常者と障害者〟という表現が嫌《きら》いだ。「だって、外からは元気に見えていても、内面では心を病んでいる人もいる。完全な健常者なんていないんじゃないかな」

大濱さんの思いをぼくなりに捉《とら》えると次のようになる。

〝なにもできない〟を原点にして正の方向に〝できることが多い〟という直線をのばしていく。そうすると、誰もがその直線上のどこかに位置することになる。その直線上には〝健常者〟と〝障害者〟を明確に区切る点は存在《そんざい》しない。誰もが生まれたときにはごく原点に近い場所に位置し、成長とともにどんどんできることが多くなり、その位置を正の方向に移していく。けれども、けが、病気、障害、加齢《かれい》などにより、その位置が原点の方向に動いてしまうこともある。福祉を司る法律《ほうりつ》上では、無理やりその線上に健常者と障害者とか、障害にも一級二級と等級をつけたり、七五歳以上を後期高齢者と呼んだりして境界点を置くけれど、それはあくまで便宜《べんぎ》上のことにすぎない。

そこにある唯一の境界は、正と負を分ける原点、つまり〝生と死〟の間にある境界しかない。

〝生きる価値がある〟と〝死んだほうがまし〟との境界はどこにあるのか、という問いを抱えながら会いに行った大濱眞さんから受け取ったのは、明確な生死の境界で奮闘する開き直った回答だった。

大濱さんは〝生きる意味〟について、さらに現在の生き甲斐《がい》についても語った。せきずい基金での活動は、大濱さんに生きる意味を与《あた》えている。そんな大濱さんに「生きる意味なんて考えられない人もいますよね」と聞いてみた。ぼくが意図したのは、たとえば無脳症《むのうしょう》で生まれてきた人や、植物人間といわれる状態のような人のことだ。でもぼくの質問の意図はうまく伝わらなかったかもしれない。大濱さんはぼくの問いに「(生きる意味を考えないなんて) それは気楽で羨《うらや》ましいなぁ」と笑った。そんな大濱さんの〝無邪気《むじゃき》さ〟は、けしてぼくを嫌《いや》な気持ちにはさせなかった。大濱さんが彼自身の土俵《どひょう》で精一杯生きていることは、十分に伝わってきた。そんな彼にすべての答えを求める必要はない。ぼくが抱えた問いの答えは、自分で見つけければいいのだから。

ひとつ確認しておくけれど、ぼくは障害を得たけれど、これっぽっちも「死んだほうがまし」と思っていない。それでも〝生きる価値がある〟と〝死んだほうがまし〟との境界が気になるのは、もし自分が若《わか》いころに障害者になっていたら、今よりもずっと苦しかっただろうなと思うからだ。そして、気楽に口にしていた「手と口は動くから」という一言に、自分でドキッとしたことがあったからだ。

中途《ちゅうと》障害者という言葉がある。事故や病気で、人生の途中で障害を持つようになった人たちを指す。大濱さんもぼくも中途障害者だ。中途障害者は元健常者であって、以前の身体に戻りたい、治りたいと強く願う人が多い。

中途障害者に対するのが、障害を持って生まれてきた先天性障害者だ。彼ら／彼女らには障害がなかったころの記憶はない。育つにしたがって、社会との関わりを通して他者と自分を比較することで、自らの障害を確認していくことになる、その過程は、中途障害者の障害の受け止め方とは違うはずだ。中途障害者の「あるべき自分」が障害を持つ前の自分であるのに対して、先天性障害者にそんな過去はない。それだからこそ、先天性障害者は中途障害者より、障害を持つ自分を丸ごとそのまま認めることができるんじゃないかと想像する。

日本の障害者運動の流れを学べば、必ず「青い芝《しば》の会」というグループ名にたどりつく。脳性麻痺者のグループ「青い芝の会」——とくにその神奈川県支部——が、一九七〇年代に乗車拒否《きょひ》されたバス会社へ激しい抗議《こうぎ》運動を起こした。それが、長い目でみれば現在の公共交通のバリアフリー化が進むうえで大きな一歩だったんだ。

脳性麻痺は、胎児《たいじ》の段階《だんかい》や出生時に脳が何らかの原因で損傷を受けることで起きる。知的発達障害が起こらないケースも多い。それでも運動障害や合併症《がっぺいしょう》などで身体に変形が生じたり、筋緊張《きんきんちょう》があったり、言語障害が出ることが多い。そのため日ごろ脳性麻痺者に接する機会がない人たちには彼らが異形《いぎょう》な存在に感じられ、それが蔑視《べっし》や差別につながる。しかし、青い芝の会には社会に物申すエネルギーと能力を持った人たちがいた。それは「治りたい」と願う中途障害者からは生まれでない濃縮《のうしゅく》されたエネルギーだったと思う。そして、彼らの行動がどれだけ障害者運動を前に進め、障害者が住みやすい環境を整えていく力になったかを知ると、彼らへの尊敬《そんけい》と感謝の念を感じずにはいられない。遅《おく》れてやってきたぼくは、その成果を楽々と享受しているんだ。

「丸ごと認めろ」という思いに達した先天性障害者の前で、中途障害者の「治りたい」という思いはかなりチンケなものに、ぼくには思える。だって、そこには障害者になってしまった自分を「価値が下がったもの」と思っている中途障害者の心境がさらけ出されているから。もちろん、「治りたい」思いは否定しない。素直で素朴な感情だと思う。でも、それがチンケな思いだという自覚はあっていい。

iPS細胞の活用などの先端医療技術の開発が進むことで、「あと何年かしたら、歩けるようになりますよ」とぼくを慰めてくれる人もいる。そんな慰めの言葉には、けがをする前の状態が強く意識されている。以前の状態が基準《スタンダード》で、それと比べると現在のぼくは欠陥品という感覚だ。でも大事なのは今のぼくだ。別にもう歩けなくてもいいんじゃないかな。ぼくの障害は、もはやぼくと切り離せない、ぼくそのものなんだと思う。

障害者の中でも、境界は揺《ゆ》れ動く。当たり前だ。その境界を前にたじろぐことがあるのも、当然だ。そこからまた越境の面白さが始まる。

「障害はね、むずかしいよ」

インタビューを終えたとき、重度障害者歴四〇年を超える大濱さんは、まだ新参者のぼくの目を覗《のぞ》き込みながらいった。

「本当にむずかしい。考えれば考えるほど、むずかしいよ」

## カンボジアの障害者と出会う

「障害のある新しいあなたの人生、おめでとう（原文は英語）」

メールにメッセージが届いた。カンボジアで障害者自立を支援するグループ（Phnom Phen Center for Independent Living（PPCIL）https://www.ppcil.

org/）のリーダーからの返信メールだった。おぉ、やるなぁと思った。その意気や良しだ。

カンボジアの障害者の人たちが日本よりも厳しい状況に置かれていることは想像がついたけれど、その実際を知りたくて、自分の障害の状況なども書き添《そ》えたメールを彼に送ったんだ。その返信の冒頭に書かれていたのが「おめでとう」の一言だった。

二〇一九年中ごろ、日本からカンボジアに戻りプノンペンでの生活を再開したぼくは、さっそくグループの事務所を訪ねた。そこで出会ったのが、ぼくと同じ脊髄損傷を負ったネアップという名の四〇代の男性だった。それから週末に何回か彼を訪ね、ゆっくりと話を聞いた。

二一歳のとき、ネアップは交通事故で頸椎《けいつい》を痛めた。職場の仲間とバイクに三人乗り（そのころのカンボジアでは、めずらしくなかった）で走っているところに、無茶な追い越しをしようとして車線を越《こ》えてきた対向車にはねられたんだ。その車の運転手は無免許《むめんきょ》で、事故のどさくさにまぎれて車ごと消え去ってしまった。だから、補償や刑事《けいじ》責任など望むべくもなかった。ネアップがプノンペン大学を卒業し、教員として働き始めてすぐのことだ。それまでの順風満帆《じゅんぷうまんぱん》だった彼の人生は、そこから大きく暗転する。

カンボジアの病院では手の施《ほどこ》しようがなく、家族は手立てを尽くして彼をベトナムの病院に運んだ。しかし彼の下半身麻痺は回復せず、腕を含む上半身にもかなりの麻痺が残った。

それから生まれ故郷の村で一一年、さらにプノンペン郊外の家で三年、彼はずっと寝たきりだった。「死んだも同然の暮らしだった」と語る彼に、死にたかったか、と尋《たず》ねてみた。ネアップは「よくぞ聞いてくれた」というように、そうなんだよ！と大きくうなずくとその細い上半身をぐっと乗り出した。「死ぬ方法を三つ考えた」という。ひとつは薬をいっぺんに大量に飲むこと、ひとつは絶食、もうひとつは舌をかみ切ることだった。最初の方法は、家族が薬を管理していてうまくいかなかった。絶食も試したけれど「腹が減って腹が減って、最後には食べてしまった」。いよいよ最後の方法を試みた。「家族が留守のときに、舌をかみ切ろうとした。でも、やっぱり痛くて駄目だった」。

まるで落語みたいに笑えちゃう話だ。そんな彼は「今は死のうなんてぜんぜん思わないよ」と胸を張る。

自立支援グループと出会った二〇一〇年から、世界は彼に再び開き始める。最初はすべてがおそるおそるだった。初めて介護に入ってくれたスタッフに自分の尿の始末を頼んだときはとても緊張《きんちょう》した。もらった車イスで外に出ると、道行く人みんなが自分を見ているような気がして、いつもうつむいていた。髪を切ろうとしても、ネアップの麻痺した身体を気味悪がった床屋で、入店を拒絶されたこともある。

中古の電動車イスで毎日事務所に通うネアップさん

それから九年、今は家族からも離れ一日四時間の介護を受けながらひとりで生活をし、グループの事務仕事をしたり啓蒙《けいもう》活動に参加したりして、少しだけれど収入もある。車イスに乗ってネパールと日本にも行った。

「ネパールの食事はカレーばかりでまいったけれど、日本食は美味しかった」と話すネアップの毎日の食費は日本円にして四〇〇円足らずだ。プノンペンでぼくが大好きなクィティウ——日本のラーメンに似ためん類——が一杯三〇〇円ほどする。物価が日本より安いカンボジアでも、一日四〇〇円足らずというのはこれっぽっちの贅沢も許されない金額だ。ぼくは一食にその一〇倍使うこともある。たまたま生まれた社会の福祉制度が違うだけで、日々の生活の質も大きく違ってしまう。ぼくが日本に生まれたのはぼくの功でも罪でもないけれど、カンボジアに生まれたネアップの苦しい半生も彼のせいではない。

ぼくは事故後、死にたいと思ったことはなかったなぁ。手や口が動いたからだろうか。福祉が整っていたからだろうか。ぼくにはわからない。でも自分が運良く恵まれていたことはわかる。
今も孤立《こりつ》して寝たきりでいる多くの「ネアップ」たちに、いつかもっと話を聞けたらとも思う。

## 「生きる価値はある?」という問い

交通事故から二年、退院から一年経ったころ、ルワンダを再訪した。

事務室のスタッフのひとりイマキュレイトの結婚《けっこん》式は、事故の数週間前だった。式が行われたキガリ郊外《こうがい》の村の一軒家《いっけんや》の庭で、ルワンダの伝統衣装《いしょう》を身につけた彼女はとても綺麗《きれい》で幸せそうだった。今回ぼくの泊《と》まった宿まで夫婦で来てくれた彼女の腕には、すでに一歳になった娘が抱《だ》かれていた。

事故車に同乗していたデニスは、幸い軽症で済《す》み元気だった。しかも彼女には結婚話が進んでいた。今はカナダに移り住んだ幼馴染《おさななじ》みが、事故の知らせを聞いてデニスに連絡《れんらく》をとってきたことがきっかけとなり、恋《こい》が始まったのだという。結婚したらカナダに向かう予定の彼女に、すこし早いお祝いの絵本を送った。

「白い精霊《せいれい》事件」が起こった学校の副校長エジットも、わざわざキガリまで会いに来てくれた。楽しく歓談《かんだん》している最中に、ぼくの境遇を不憫《ふびん》に思った彼はふいに嗚咽《おえつ》をもらしてその場にしゃがみ込んでしまった。彼の優しい気持ちがじわじわと伝わってきた。

プロジェクトを実施《じっし》していた教育省部局のボスだったダミアンは、ルワンダでの復職をしきりにぼくに勧《すす》めてくれた。「フルタイムでなくとも、半日勤務《きんむ》とか、週三日勤務とかでいいじゃないか」。

うれしかったのは、事故をきっかけにプロジェクトの運転手を辞めたアルフレッドと再会し、「事故は仕方がなかった」と伝えることができたことだ。ほんの少しだけ、肩の荷が下りた気がした。

そんなうれしい再会の日々のなかに、日本から衝撃的《しょうげきてき》な事件のニュースが飛び込んできた。相模原《さがみはら》市の知的障害者福祉施設《しせつ》で一九人の入所者が殺された大量殺人事件だ。加害者の二六歳男性は、事件を起こした福祉施設での勤務経験があり、重複障害者を生きる価値のない存在《そんざい》とみなしていたと報道された。

一〇日ほどのルワンダ滞在を終えて日本に戻ると、この事件について多くの意見が飛び交っていた。そこでも〝生きる価値〟が議論《ぎろん》されていた。「役に立たない人が生きているのは無駄《むだ》だ」という犯人のメッセージに同調するような意見が、インターネットという情報革命《かくめい》のツールを通して拡散《かくさん》していた。

イマキュレイト（中央）との２年ぶりの再開。ぼくが事故にあうちょっと前に結婚したカップルには、女の子が誕生し、１歳になっていた

「役に立つ」ことは社会の中でたしかに善《ぜん》とされる。けれど〝何かの役に立つ〟ことがあれば、当然〝何の役にも立たない〟無駄なものも存在する。価値の存在を前提にした考え方の限界だ。つまり価値の呪縛《じゅばく》に捕《と》らわれている限りは、無価値からも逃げられない。つまり自分や他者の人生に対する「生きる価値はあるでしょうか？」という問いそのものが、「生きていても仕方がない」、つまり〝無価値〟という答えを引き出す装置となっているんだ。

そんなわけで、障害者の生を無価値と否定する価値観は社会にはびこり続けている。その証拠《しょうこ》に、多くの障害を持った人自身もが障害を持つ前と比べて〝価値が減った〟自分を「死んだほうがましだ」と思う。

でも、生産性の有無で人の生の価値を決めることはどう考えても危険極《きけんきわ》まりない。それはすぐに生産性の高い人が低い人より優れているという価値観に読み替えられる。そうなればすべての者が生産性の序列の中のどこかに組み込まれる。そしてある状況下でその序列は恥《は》じらいもなく表面化し、生産性の低い順に、その〝生〟が簡単に否定《ひてい》されていくことになるだろう。社会を営む上ではそれも仕方ないことだと断言できる人は、自らの愛する人や子どもたちがその生産性が劣《おと》ることによって排除《はいじょ》されるのをその眼で見ること、あるいはその手で排除を執行《しっこう》することへの想像力が足りないのだと思う。

「生産性の低い、あるいはない障害者が生きる価値はあるでしょうか?」という問いには、「価値はどうでもよくて、生きていていいんじゃないかな」と真剣《しんけん》に答えることしか対抗《たいこう》できないと思う。

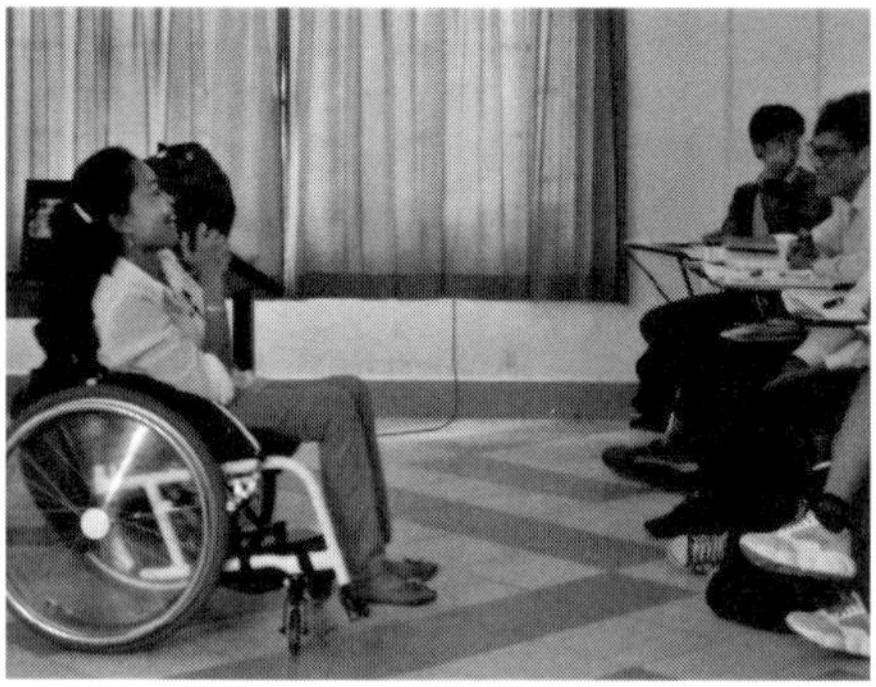
プノンペン大学の学生たちに障害者の自立生活に関する啓蒙プログラムを実施中のボッパーさん（車イスの女性）。9歳のときに高熱と首や全身のひどい痛みに襲われたのを境に、彼女は下半身麻痺となった

それでも人が活動するには資源《しげん》が必要で、「限られた資源をどう分配するか」という議論は避《さ》けようがない、という人は必ずいる。価値ある人、役に立つ人にまず優先権《ゆうせんけん》がある、という考え方だ。人が有限なエネルギーを消費して生きる存在である以上、この理屈を否定するのは無理なように思える。

しかし「限られた資源をどう分配するか」という問いは、あまりに〝緊急《きんきゅう》事態〟的な考え方じゃないだろうか。「もはや十分に分配するだけの資源はない」という非常事態が起こっているのかどうかの検証がないままに、仮定の話で世界が限界に瀕《ひん》しているかのような話をされているのだとしたら、それは議論のための議論でぼくには乗れない。だいたい「限られた資源をどう分配するか」という問いは、とてもあからさまな誘導《ゆうどう》の匂《にお》いがするじゃないか。

障害者自身も生産性の呪縛から自由になれない

のが、ぼくは悲しい。障害を持ったとき「社会や家族に迷惑《めいわく》をかけてしまう」と思う人は多い。これだって、生産性の呪縛だろう。何もできない自分の存在が、家族の生産性の妨《さまた》げになることが問題になる。「人に迷惑をかけるな」ってぼくたちは教育されて育つのだから、それも仕方ないのだろうか。実は、教育のほうが間違っているんじゃないかな。

一九七〇年代、もう半世紀も前に脳性麻痺児の介護に疲《つか》れた母親が、自らその子を殺した。世間は母親に同情して、減刑《げんけい》をうったえる嘆願書《たんがんしょ》が裁判所には多く寄せられた。そのときに脳性麻痺者の集まり「青い芝の会」のメンバーは「脳性麻痺者は殺されても仕方がない存在なのか」と減刑に強く反対する声明を出した（『母よ！　殺すな』横塚晃一著、生活書院、二〇〇七。38ページ～に経緯《けいい》が書かれている）。脳性麻痺者からあがった反論に、善意や同情から母親の減刑を求めた声はおそらく足元をすくわれたはずだ。彼らには殺された側が意識せざるを得ない健常者と障害者との間に横たわる境界が見えていなかった。それから半世紀がたっても虐殺は止まらない。日本の学校教育はそのことをよく考えたほうがいい。

ヒトから生まれた存在は、その経緯がどうであろうと、障害があろうとなかろうと、ヒトとして同じ仲間でいいじゃないかと、ぼくは思う。

## 世界最強のパスポート

そうだオーロラを見に行こう、と思った。

以前から見たかったけれど、なかなか機会がなかった。車イス生活になってみると、機会は待つものではなく作るものだと強く思う。自ら機会を作っていかなければ、身体の自由が効かない者はどうしても出不精になる。

調べた結果、カナダのイエローナイフという町を目指すことにした。なんとなく名前が格好いいじゃないか。でも、そこを選んだ本当の理由は、カンボジアの地球科学の仲間たちと世界の気候を勉強し直したときに、ツンドラ地帯の代表地としてこのイエローナイフをとりあげたことがあったからだ。そのときにオーロラが見える町として記憶にインプットされていたんだ。

身体への負担《ふたん》や装備《そうび》のことを考えて極寒のときを避け、秋分のころをねらう。オーロラ観察には、オーロラを待って一か所にとどまるやり方と、車に乗ってオーロラが見える場所を追って動くやり方がある。前者は寒さ対策《たいさく》の装備が楽だし、仮眠《かみん》しながら待てるので身体にも負担がないのに対し、後者は雲が出ている日でも雲の隙間を探して臨機応変《りんきおうへん》に動く分、オーロラが見られる確率は少し高いという。移動の苦手な車イス者にとっては前者がいいようにも思うけれど、せっかく遠路出かけるのだから、やはりオーロラが見られる可能性が少しでも高い後者を目指したい。

イエローナイフのオーロラツアー会社にいくつか問い合わせのメールを送ると、日本人がひとりでやっている小さな会社が、バリアフリー対策をとくにとっているわけではないけれど、不便でもよければ遠慮《えんりょ》なく来てくれという回答をくれた。メールでも伝わる心意気というものがある。このときもそうだった。よし、決定。

ところが、カナダへの入国ビザでつまずいた。カンボジア国籍《こくせき》を持つぼくのパートナーの入国ビザが許可されないのだ。

「海外の国を訪問する際に、ビザを取得しないでも、あるいは到着時のビザ申請《しんせい》で入国できるかどうかの基準で各国のパスポートを比較すると、日本国発行パスポートが世界で最強」なのだという。（二〇一八年一〇月一一日の朝日新聞 https://www.asahi.com/articles/ASLBC4GQFLBCUHBI01L.html?iref=recob）

世界最強のパスポートを使う日本の人にとって、その最強度はあまり実感をもって理解されていない。〝最強パスポート〟を持てば、ビザを取る苦労を経験することがないからだろう。世界の多くの人たちにとって、とくに途上国と呼ばれる国々のパスポートを使う人たちにとって、訪問国のビザを取るというのは大変な労力を必要とすることが多い。よく考えてみれば、国籍という情報だけで人が区別されるのは乱暴《らんぼう》ではないか。自分では選べない国籍によっては、ちょっとした海外観光旅行も拒否《きょひ》される。一方で、日本国籍さえ持っていれば世界最強のパスポートが持てる。ひどい不公平だ。国境も国籍もあくまで数多くある境界のひとつにすぎないではないか。境界は本来、すべて揺《ゆ》れ動いて現れては消える都合のいい存在であるはずなのに、国境と国籍だけが固定した境界として君臨《くんりん》している。

　人びとは生まれによって〝区別〟されている。もちろん、それにはそれなりの理由はある。税を徴収する以上、その恩恵は主たる納税者《のうぜいしゃ》である自国民が優先的に得るものだという考え方はあるし、経済的な可能性を求める移民を無条件に受け入れることを良しとする国家はない。国際的な人身売買だって存在する。それを防ぐための国境での厳《きび》しい審査は必要だ。国家という枠組みを是《ぜ》として世界を構築してきた以上、これらの理不尽《りふじん》は仕方がないものとして処理《しょり》されてきた。

　けれども、現在当たり前のように存在している国境も、今のような形になったのは、それほど昔のことではない。次に紹介するのは、二〇世紀前半に著名だったオーストリア出身のユダヤ人である作家ツヴァイク（一八八一年オーストリア出身、ユダヤ系《けい》の作家・評論家。一九四二年亡命先のブラジルで死去）が、ナチスドイツの迫害《はくがい》から逃《のが》れた亡命先で一九四〇年という時代に書いたものだ。

　実際、人間の個人的な行動の自由の制限とその自由諸権利の減少くらい、第一次大戦以来の世界が陥った非常に大きな退歩を眼に見えて明らかに示すものはないであろう。一九一四年以前には、大地はすべて人間のものであった。各人はその欲するところに赴き、欲するだけ長くとどまった。許可もなければ承認ということもなかった。私が一九一四年以前にインドとアメリカに旅行したときには、旅券を持っていなかったし、あるいはおよそかつてそのようなものを見たこともなかったのだ、と若い人々に語り聞かせるとき、その年若い彼らの驚きを、私はいつも興《きょう》がって眺めたのものである。当時は聞くこともなければ聞かれることもなく乗ったり降りたりし、今日要求される無数の書類のうちのただひとつでも書き込む必要はなかったのだ。許可証も査証も煩瑣《はんさ》な手続きもいらなかった。今日税関や警察や憲兵屯所《けんぺいとんじょ》などの、万人対万人の病的な猜疑《さいぎ》によって鉄条網に変わってしまった同じ国境は、当時はただ抽象的な線を意味するにすぎず…〈中略〉…いかに多くの人間の尊厳が失われたかということを感じ取るのである。

（シュテファン・ツヴァイク著、原田義人訳『昨日の世界Ⅱ』みすず書房、1999、605〜607ページ）

一九一四年以前、ツヴァイクはパスポートなど持たずに、欧州《おうしゅう》からインドや米国を旅した。彼が国境を自由に越える移動に親しめた背景《はいけい》には、国際人《コスモポリタン》を自称していたツヴァイクが、植民地時代の大国のひとつであるオーストリア＝ハンガリー帝国《ていこく》の裕福《ゆうふく》な家庭の出身だったことはあっただろう。同じ時代にたとえばインドや日本の民《たみ》が、自由に欧米を旅行できたとは考えられない。それを考慮《こうりょ》に入れたとしても、海外への移動に自国のパスポートが必要となる制度の登場を〝人間の尊厳《そんげん》の喪失〟と捉《とら》えた自由人がいて、それからまだ一〇〇年ほどしか経っていないことは覚えておこう。今や、査証の手続きも、指紋確認も、顔認証も、多くの旅行者にとっては自らの尊厳とは無関係のように見える。でも目をこらせば、二一世紀の今でも、国境での手続きは人の尊厳との間に摩擦熱《まさつねつ》を発する場だ。

日本国憲法第一四条には「すべて国民は、法の下に平等であって、人種、信条、性別、社会的身分又は門地により、政治的、経済的又は社会的関係において、差別されない」とある。国籍によって国境の移動の制限に差があるというのは、つまり差別だ。世界は、まだ途上にある。

何度かの煩雑《はんざつ》で時間もお金もかかる手続きを繰り返した末、パートナーはようやくカナダの入国ビザを取ることができた。

二〇一八年秋分のころ、ぼくたちはイエローナイフを訪ね、幸運なことに満天のオーロラを堪能《たんのう》できた。九月中旬とはいえ零度《れいど》に近い気温の地表から見上げる一〇万メートル上空の闇《やみ》の中で、太陽から飛んできた無数のプラズマたちは、地球の磁力《じりょく》線に沿った白く濃淡《のうたん》を見せる特大のかすみの敷布《しきふ》のそよぎとなって何層《なんそう》にも重なり、気が遠くなるほど遠くから届く星々の光を透かしながら優しくチラチラと揺れた。かと思うと、白いかすみはやがて静かで細かな激流《げきりゅう》となり、高速で行き来しすれ違い降下《こうか》し渦巻《うずま》いたとたんに音もなくパチ

2018年9月17日、イエローナイフ郊外で見えたオーロラ。右下隅の白い服がぼく
（ナヌック・オーロラ・ツアーズ提供　http://www.aurora-guide.com/）

パチ弾けて爆発を繰り返すと、やがて単なる薄明かりとなり死を迎えた。その静謐《せいひつ》と躍動と、いつまで眺《なが》めていても飽《あ》きることはなかった。かなうなら、ずっと見ていたいと思った。

　車内にもどったぼくたちに、ツアー会社のオーナー件ガイド件運転手のOさんが、用意してあった飲み物とバナナケーキを振る舞ってくれた。コーヒーの熱さとケーキの淡い甘《あま》さとが、冷え切った身体をじわじわとほぐす。いやぁ今日のオーロラも凄《すご》かったなぁとつぶやきながらぼくの車イスを車内に運び込んでくれたOさんが、大柄な身体を丸めながら運転席におさまる。そして「じゃあ、そろそろ戻りましょうか」と車のヘッドライトを点けた。車はまだ暗い道をイエローナイフの町に向かって走り出した。夜明けまでは、まだ数時間ある。

# 終章　越境《えっきょう》していくあなたへ

## やってみないと始まらない

第1章のはじめ「アフリカに憧《あこが》れて」（8ページ）で、シュバイツアーの名前を出した。アフリカの僻地《へきち》に病院を建て、そこで治療にあたったシュバイツアー。そんな彼の伝記を読んでぼくはアフリカに憧れた。〝密林の聖者〟と呼ばれノーベル平和賞（一九五二年）を受賞したシュバイツアーはぼくのヒーローのひとりだった。

そんなシュバイツアーのアフリカでの評価は、けしてヒーローではなかった。シュバイツアーが病院を建てたのは当時のフランス領植民地で、アフリカ側から彼の活動を見れば、それはあくまで支配者の〝自己満足〟だったというのだ。彼の唱えた人道主義のなかで、彼（白人）は常に施《ほどこ》し導く側で、アフリカの人（黒人）たちは常に救済の対象だった。キリスト教の伝道者でもあったシュバイツアーにとって、アフリカの僻地での活動と生活は、自らをキリストに近づける手段だったのであり、アフリカの人たちは彼のキリスト実践の道具に過ぎなかった。そう考えるアフリカからの見方をぼくが知ったのは高校生のころだ。実際、彼が持ち込んだ西洋風の食生活が、現地の人たちの健康を害する結果になったという声すらある。そんな援助される側からの視点を知ったときのぼくの衝撃は、とても大きかった。

境界とは、強者と弱者を生み出す場でもある。これまで多くの越境は強者によってなされてきた。それは古くは〝侵略《しんりゃく》〟だった。強者による越境は、先住民を弱者に貶《おとし》めることになる。新大陸を〝発見〟したコロンブスや世界一周の旅に出たマゼランは、西洋からみれば〝英雄《えいゆう》〟だったけれども、アメリカ大陸や太平洋の先住民たちにとって、大虐殺《だいぎゃくさつ》をもたらした〝悪魔《あくま》〟だった。

現在行われている途上国《とじょうこく》への〝開発〟支援も、

現代風に洗練《せんれん》された〝侵略〟だとする声も少なくない。そんな声を上げる人たちは、開発で利益を得るのはごく限られた裕福層《ゆうふくそう》だけで、多くの住民にとって開発は、シュバイツアーの支援と同じように彼らの生活様式や価値観《かちかん》を破壊《はかい》してきたと主張する。開発の歴史をたどれば、それは欧米《おうべい》（日本も）による植民地支配があったのは否定できないし、そもそも弱者は強者を対象に開発なんてしない。開発が侵略性を帯びやすいのはたしかだと思う。侵略だろうと開発だろうと、強者にズカズカと踏《ふ》みこんでこられた側からすれば、その越境行為《こうい》はけして歓迎《かんげい》できるものではないだろう。だから越境行為は怖《こわ》い。

しかし、シュバイツアーは反面教師なのだろうか。動機はどうであろうと、彼は当時顧《かえり》みられることもなかった僻地に病院を建て、そこでの活動を五〇年続けた。けして簡単《かんたん》なことではなかったはずだ。現地の人たちの声とは別に、何もしないで外からシュバイツアーの行為を批判するとすれば、それは敬意に欠けているだろう。やっていない者は、簡単になんとでもいえる。シュバイツアーはとにかくやった。問題はやったよりも、やらなかったほうが本当によかったかどうかだ。ぼくはここで簡単に答えを出せない（シュバイツアーに対するアフリカ側からの視点を知りたい人には、伊藤正孝『アフリカ33景』一九八五、朝日文庫をおすすめしておく）。

現在の援助支援もそうだ。本当に支援が必要な人たちに届くかどうか。なにもしないより援助支援をやったほうが益《ま》しになっているかどうか、それが大事だ。もちろん、その判断はけして簡単じゃない。同じ事象でも、立場が変われば見え方も変わる。

カンボジアで、あるとき教育大臣が「カンボジアはまだ貧しい。だから学校教育では実際に役に立つことを教えなければならない」と語ったことがある。さて、理科の内容は「役に立つ」だろうか。たとえば宇宙《うちゅう》や微粒子《びりゅうし》について勉強しても、日々の生活にはなんの役にも立たない。でも、先人たちが見つけてきた人類共通の財産である科学への道を貧しさを理由に閉ざしてはいけないし、それを次の世代に伝えていくことも公教育の大事な責任だと、ぼくは思った。大臣とは議論《ぎろん》する機会はなかったけれど、カンボジアの理科教育に関わる同僚《どうりょう》たちとは、そんなことも話し合った。

科学の醍醐味《だいごみ》は、世界のどこでも通用する「共通性・再現性」と「批判・反論の自由」にあると思う。そして、科学的思考を高めることは、「情報の公開」や「表現の自由」を大切にすることにつながるはず。それは民主主義の基本であって、つまり理科教育を充実《じゅうじつ》させるのは「世界の平和」に関係することなんだとぼくは思っていた。カンボジアやルワンダという大きな虐殺があった社会で、理科教育を支援することは、虐殺を繰り返さないことにつながると思って仕事をしていた。

そんなことは実際のプロジェクト目標には書かれていないし、その効果を評価することもできない。「そうであればいいいな」という祈《いの》りのようなものに過ぎないのかもしれない。

けれど、民主主義を重視するぼくの価値観も、キリスト教を信じたシュバイツアーとどれほど違《ちが》うのかと、怖くなることもある。歴史の中で、誰もが時代から自由ではない。自分がやってきたこともやがて次の時代の洗礼《せんれい》を受けるだろう。それでいいのだと思う。

## 知らないと済ませないで

ジェノサイドという言葉を聞いたことはあるだろうか。日本語では大量虐殺。あるいは集団殺害と訳される。一九四四年にレムキンというユダヤ系ポーランド人法律家が使い出した言葉で、もともとは第二次世界大戦時のナチスドイツによる組織的なユダヤ人らの大量虐殺を戦後に裁《さば》いたニュルンベルク裁判で使われた。国際連合は一九四八年にジェノサイド条約（集団殺害罪の防止および処罰《しょばつ》に関する条約、日本政府は未加入）を採択《さいたく》して、二度と大量虐殺を起こさないことを国際社会に呼びかけた。

けれども、その後も世界ではジェノサイドと呼ばれる多くの人々が殺される事件や紛争《ふんそう》がいくつも起きている。境界を超《こ》えていけば、ときにそんな虐殺が生み出した記憶《きおく》の破片を受け取ることもある。ぼくにもそんな経験が少なからずあった。それにインターネットによる情報革命が起きている今、戦争や虐殺はいつでもぼくたちの隣にある。もしあなたが「戦争を知らない」とすれば、それは知らないのではなくて、知ろうとしないだけなんだろうと思う。

二〇世紀後半にカンボジアとルワンダで起こったジェノサイドは、世界中でよく知られている。ぼくはそのどちらの国でも働く機会があった。そして、それぞれの社会の中に今も残るジェノサイドの記憶と直面することになったことはこの本の中でも触《ふ》れてきた。フィリピンでの日本軍支配の負の記憶や、「障害《しょうがい》」の章で触れた〝相模原事件〟も、世界中の虐殺につながっているとぼくは思っている。

ケニアでも、二〇〇七年の大統領選挙でケニア国内での民族紛争が起こり、一〇〇〇人を超える死者と多くの国内難民《なんみん》が発生した。

アフリカの地図を見ると、とくに北部や南部で国境が長い直線になっているのがわかる。ケニアも、タンザニアやソマリアとの国境はきれいな直線になっている。これはアフリカの植民地化を競っていたヨーロッパの国々が、その利害の調整を図るために一九世紀末に話し合い（一八八四年ベルリン会議）、それぞれの「取り分」を決めたことが背景《はいけい》になっている。その際には、そこで暮《く》らしているアフリカの人たちの言語や文化は考慮されなかった。

この「アフリカ分割」による境界線は、二〇世紀中ごろ以降にアフリカ諸国が独立する際にも消えなかった。その結果、同じ国に複数の民族が混在したり、元々ひとつの民族だった社会が分断されて違う国に組み込まれたりしたんだ。この植民地時代の負の遺産が、アフリカの現在の民族紛争と、その結果起こる難民問題や貧困問題の一因になっている。

遠いヨーロッパからやってきた者が土地を自由に使い、先住民を安い労働力とした植民地支配は、現在の視点でみれば明らかな不平等だ。さらにその影響が今の世界でも経済格差として影をおとしている。

ではそれぞれの民族社会ごとに新しい国境を引き直せばいいのだろうか。そうしない限り、民族紛争による被害者はなくならないのだろうか。でも、民族ごとに国を作り直すことは簡単ではないし、あらたな紛争の種になるだけだろう。そもそも民族そのものが、とてもあいまいで不確かなくくりかただ。

　植民地から多くのアジアやアフリカの国々が独立を果たしていったとき、「民族自決」がそのキーワードだった。でも、どんなに「単一民族」を主張してみたって、それは無理なんだろうと思う。たとえば、日本での「アイヌ民族」や「琉球民族」の自決権はどうなるのか。あるいは「琉球」といったときに先島諸島（沖縄県南西部の宮古列島・八重山列島）は含まれるのかどうか。そんなふうに考えると、民族自決の境界をどこで引くかはとてももむずかしい。実際、民族自決を謳《うた》って独立しつつ、民族対立を国内に抱えている国々は少なくない。内戦等が勃発《ぼっぱつ》して、さらなる小さな国に分かれてしまった例もある。

　民族自決という考え方は、植民地主義を批判する上では有効だったけれど、独立後にも内戦をかかえる国々が多くあることで、今ではかっての輝きを失ってしまったようにも思える。民族という枠組みで境界を引いたり維持したりすることに限界がきつつあるのだと思う。ぼくたちはいつまで民族の虜になっているのだろう。世界市民の自覚がいきわたるには、地球外生命の地球侵略まで待たなくてはいけないのだろうか。この本を読んでくれたあなたが、民族とか○○人とかのしばりからどんどん自由になってくれればいいなと、ぼくは思っている。

## 「迷惑」という言葉を見直す

　もしあなたのこれからの人生でけがや病気で障害を持ってしまったら、そのときに気持ちが落ち込んでしまうのはもっともなことだと思う。もしかしたら、それは〝絶望〟という種類の気持ちかもしれない。「生きているよりも、死んだほうがましだ」とあなたが思ったとしても、不思議はない。

　耐え難い苦痛を抱えてまでして、生きている必要はあるのだろうか。耐え難いと感じる苦痛も、人によって千差万別だ。身体的な苦痛、精神的な苦痛、なにが苦しいのかを他者に理解してもらうことは難しい。そうであれば、苦痛を抱える人は、ますます孤独だ。

　ぼくは、ここであなたに「死なないでみて」と伝えたいけれど、そんな言葉がよけいあなたを苦しめることになることを想像すると、迷う。まずは「死にたい」と思ってもいいし、言ってもいいよ、から始めるしかないんだろうと思う。実際、多くの人はそこから始めてきたんだ。

もしあなたが中途《ちゅうと》障害者であるならば、ぜひ「仲間よ！」と呼ばせてください。ぜひ、ともに長生きできたらと思っても、いいかな。

もしあなたが生まれつき障害を持って生きてきたのであれば、「先輩《せんぱい》！」と呼ばせてください。あなたが生きてきてくれたから、ぼくも障害者として生活することができているのだと、思っています。

障害があろうとなかろうと、生きるのが辛《つら》いと感じる人が少ない社会のほうが、きっといい社会に決まっている。そんな社会を作っていくにはどうしたらいいんだろう。

政治や経済といった大きな問題はさておき、大切なのは「迷惑」という言葉を見直すことだろうと思う。人の世話にならずに生きてきた人はこの世にいない。赤ん坊《ぼう》と生まれてきて、誰かの手に抱かれ、乳を飲み、オシメを代えてもらわずに育ってきた人はいない。人同士が世話をし、世話をされるのは、当たり前のことだ。自分にできないことを他者に助けてもらい、自分のできることで他者を助ける、それだけのことだ。みんながそう思う社会であれば、健常と障害の境界は低くなっていくだろう。あなたもそんなふうに思ってくれたらうれしい。

それでも、中途でも、生まれたときからの障害でも、とくに若いとき、障害はとても苦しい。自分の障害だけでなく、身近に障害を持つ若い人がいるとき、寄り添う人たちの抱える将来《しょうらい》への不安もよくわかる。そんな苦しみをなくす術をぼくは知らない。ただそんな若い人たちの苦しみを想像するしかない。苦しくて当たり前だ、わかるよ、としかいえない。そして「でも、生きていいんだよ」と伝えたい。あなたの苦しみが少しでも和らぐことを願っている。

## 必ずしもわかり合わなくていい

〝ヒト〟とは、常に冒険者《ぼうけんしゃ》を抱える集団のことだ。

そうでなければ〝ヒト〟がアフリカを出て、ベーリング海峡《かいきょう》を越え、太平洋の島々にまでその活動の範囲《はんい》を広げることはなかった。境界を越えていく好奇心《こうきしん》こそが〝ヒト〟の繁栄をもたらした。

　地球上から辺境の地が消え去った時代を迎え、おそらく人類史の中での社会的冒険の役割はこれから縮小していくか、あるいはその形態を大きく変えていくだろう。でも、個人的冒険が滅《ほろ》びることはないはずだ。もしあなたが少しでも越境の夢をみるとすれば、それはヒトとして当たり前のことなんだ。

　一方で、非冒険者にとっても越境は無縁《むえん》ではない。なぜなら、越境者は境界線の向こうからもこちらにやってくるから。境界を超える必要がなくとも、越境者とつきあう必要は誰にもある。世界は開いているから、仕方がない。

　だから、傷つかない程度の術を持たなければならない。理想的なのは、格差や不平等に対する感受性を保ちつつ、自分の生きやすさを維持する術を持つことだろう。生きやすさとは、物理的にも精神的にも無理しすぎないことだ。自分の生きやすさも、常に変化している。たとえば、年齢《ねんれい》や経験によって。家族を持つこと、子どもを持つことでも変わるだろう。現在の日本のように、社会構造そのものが変化していくこともある。そういう変化を認《みと》めつつ、違うシステムに関わり続ける持続力を持てるように自分を鍛《きた》えるしか、境界とつきあう術はない。

　必ずしも、わかりあう必要はないのだと思う。そのときは、境界を上手に作ろう。そしてその境界が消え去ることもあるのを認めよう。

　何かの差異があればそこに境界はいつでも生まれる。たとえば、〝私《わたし》〟と〝あなた〟の間にも、さまざまな境界が築かれている。境界の両側に〝共通すること〟が見つかれば、いっとき境界が消え去る。そして、その〝共通すること〟の外側に新たな境界ができる。〝私〟と〝あなた〟は〝私たち〟となり、〝私たち〟とはまた違う〝あなたたち〟や〝あの人たち〟が立ち上がる。だから境界は無数に存在する。

　どの境界も、存在理由はそれぞれだ。人は、そのときそのときで、自分の都合に合わせてその境界を使い分けているに過ぎない。ひとつひとつの

境界の強弱濃淡《のうたん》を決めているのは、その境界を必要とする人たちの価値観や利便性だ。そしてその価値観や利便性によって、境界は都合よく現れたり消えたりしている。それはけして不道徳でも、責められることでもない。境界はあくまで生き易く使えばいいのだとぼくは思うようになった。もちろん、その境界が他者に対しての侮蔑や否定や、特権の維持のためでない限り。そして、国境も多くの揺れ動く境界のなかのひとつに過ぎないと考えるようになった。

　揺れ動く境界は操作《コントロール》できないことがある。自分で操作《コントロール》できないって、なんか素敵《すてき》じゃないかな？そして、それも「世界は開いているから仕方がない」のだとぼくは思う。

　この本が、あなたが次の一歩を踏み出すその背中を、そっと押すことになればとってもうれしいです。

　それじゃ、また。元気で、いってらっしゃい。

# おわりに

二〇二〇年、この本を作っているちょうどそのときに、新型コロナウイルス禍が起こってしまった。国境は閉まり、人の移動も止まった。早春の日本に一時帰国したぼくは、カンボジアの自宅に帰れないまま、思いがけず日本で年を越そうとしている。こんな状況がいつまで続くのか、これを書いている段階で、予想もつかない。

それでも、確かなことがひとつある。それは、やがて人の移動は再開するってこと。閉じていた国境も必ず開く。歴史をたどれば、それはわかる。過去のペストやコレラ、インフルエンザの感染爆発《パンデミック》は、人の越境を止めることはできなかった。歴史は繰り返す。今回だけは違うなんてことは、ない。

越境者にはなかなかしんどい世の中だ。けれど、越境が人を引きつける魅了は、そんなときよりいっそう輝きを増すのだとも、ぼくは思う。その点に関しては、ぼくはとても楽観的だ。

こんな閉そく感の強いときに、『超えてみようよ！ 境界線』というタイトルのこの本が生まれたなんて、絶妙のタイミングだなってぼくは思っている。ちょっとむずかしいところもある本だけれど、できるだけ多くの方の手に届きますように。

この本を作るにあたり、多くの助言をくれた横山光則さん、石川れい子さん、励ましてくれた阿古智子さん、障害の章で話を聞かせていただいた大濱眞さん、海外のいろんな場面で出会ってきたたくさんの方々に、心からお礼申し上げます。

編集の山家直子さんとの出会いがなければ、この本が世に出ることもありませんでした。山家さんに会えて超ラッキー、超ハッピーです。デザインの宮部浩司さんも装丁や素敵な写真等々、ありがとうございます。校正や、印刷や、製本や、営業などとして関わってくれた人や、本屋さんにも、感謝です。ハンダ トシヒトさん、すごくかっこよくて楽しい装画をありがとうございます。ぼくはこの絵、大好きです。

そして、いつも支えてくれるサンワーと家族にも、オークンチュラン。

二〇二〇年一二月

**村山哲也**

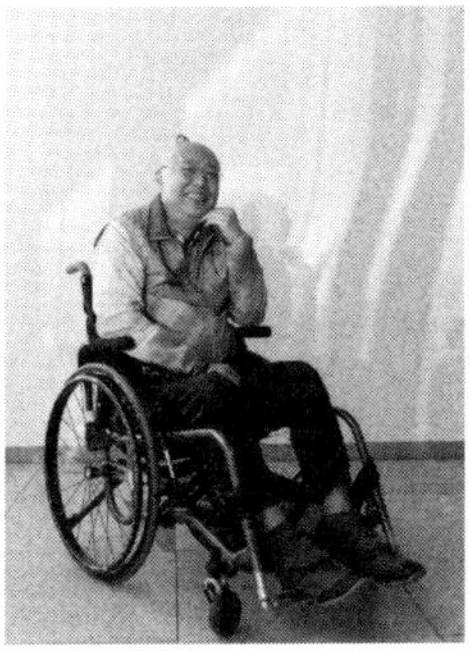

**村山哲也**（むらやま てつや）
1964年東京生まれ。東京都立西高等学校野球部、東京農工大学農学部卒業。名古屋大学大学院国際開発研究科博士課程前期修了。海外青年協力隊を経て教育開発援助の仕事に携わる。50歳のときにルワンダでの勤務中に交通事故に遭い、車イス生活に。カンボジア在住（ときどき日本）。ブログ「越境、ひっきりなし」（https://incessant-crossingborder.com）

装　画　ハンダトシヒト
装丁・DTP・撮影（筆者近影）　宮部浩司

**超えてみようよ！ 境界線**
**――アフリカ・アジア、そして車イスで考えた援助すること・されること**

2021年1月24日　初版第1刷発行

著　者　**村山哲也**
発行者　**竹村正治**
発行所　株式会社かもがわ出版
〒602-8119　京都市上京区堀川通出水西入
TEL 075-432-2868　FAX 075-432-2869
振替　01010-5-12436
ホームページ　http://www.kamogawa.co.jp
印刷所　シナノ書籍印刷株式会社

ISBN978-4-7803-1136-5 C0095
Printed in Japan